GLOIRE SOIT AUX PÈRES
Roman à l'index

MICHEL BRÛLÉ

5, rue Sainte-Ursule
Québec (Québec) G1R 4C7
Téléphone : 418 692-0605
Télécopieur : 418 692-0605
www.michelbrule.com

Distribution : Prologue
1650, boul. Lionel-Bertrand
Boisbriand (Québec) J7H 1N7
Téléphone : 450 434-0306 / 1 800 363-2864
Télécopieur : 450 434-2627 / 1 800 361-8088

Impression : Imprimerie Lebonfon Inc.
Couverture et mise en pages : Paul Brunet
Photo de la couverture : Karin Benedict
Direction éditoriale : Patricia Juste Amédée
Révision : Natacha Auclair
Correction : Nicolas Therrien

Les éditions Michel Brûlé bénéficient du soutien financier du gouvernement du Québec — Programme de crédit d'impôt pour l'édition de livres — Gestion SODEC et sont inscrites au Programme de subvention globale du Conseil des Arts du Canada.

Nous reconnaissons l'aide financière du gouvernement du Canada par l'entremise du Fonds du livre du Canada (FLC) pour des activités de développement de notre entreprise.

Société
de développement
des entreprises
culturelles
Québec

Conseil des Arts
du Canada

Canada Council
for the Arts

Dépôt légal — 2014
Bibliothèque et Archives nationales du Québec
Bibliothèque et Archives Canada

ISBN : 978-2-89485-662-8
       978-2-89485-663-5 (ePUB)

André Montmorency

GLOIRE SOIT AUX PÈRES

Roman à l'index

MICHEL BRÛLÉ

J'avais toujours rêvé de devenir saint. Déjà à cinq ans, j'essayais de léviter afin de m'élever vers le Seigneur, et ma mère m'enseignait des mantras susceptibles de m'aider à renouer avec mes vies antérieures. J'étais censé pouvoir planer au-dessus de la cour arrière de mon taudis et apercevoir tous les grands personnages qui m'avaient précédé et m'habitaient toujours.

Pour éviter le plafond de vieux bois pourri de la galerie et prendre mon envol plus aisément, je me suis installé sur le bord des marches d'escalier qui descendaient du troisième étage; assis en position du lotus, je faisais de petits bonds sur place en m'aidant de mes seules mains afin de faciliter le départ, mais je n'ai réussi qu'à débouler les trente-deux marches qui me séparaient de la terre battue.

Je me suis relevé sans égratignure aucune. C'est là que j'ai eu la révélation que seul un superhéros ou un saint avait pu se sortir indemne d'une chute qui aurait dû, sans l'assistance d'un Dieu bon, se terminer en catastrophe.

À la fin de cette première moitié du vingtième siècle, la concurrence étant de taille dans le monde des superhéros, j'ai opté pour la sainteté.

Quelque deux ans plus tard, j'ai eu une autre confirmation, une autre preuve, et non la moindre, que je serais le bienvenu parmi les élus. Il y avait déjà une sainte dans la famille : Mena, une vague tante de ma mère, puisque c'était la demi-sœur de mon grand-père maternel, et j'ai eu l'insigne privilège d'être témoin de son premier miracle.

J'ai rencontré pour la première fois ce grand-père bizarre et bossu à l'enterrement de cette chère tante Mena (elle avait trépassé en odeur de sainteté le jour de mes sept ans). Papi s'est présenté devant son cercueil, couvert d'une cape des chevaliers de Colomb, tricorne à plumes sur la tête et sabre en bandoulière.

C'est grâce à lui, qui avait réussi à amasser assez de sous en piochant dans les quêtes des nombreuses organisations de bienfaisance dont il avait fait partie toute sa vie, que Mena, cette demi-sœur beaucoup plus jeune que lui aux origines des plus suspectes, avait pu entrer dans les ordres. Papi avait été bedeau, chantre, responsable des finances de sa paroisse et pigeait allègrement dans le sac des oboles. Mais jamais pour lui. Il défendait la veuve et l'orphelin, allant même jusqu'à couvrir de fourrures des dames de la haute qui n'avaient plus les moyens de s'en offrir.

Pour apaiser sa culpabilité maladive, il payait parfois les études d'une illuminée. Il aurait donc été malvenu qu'il ne finance pas les aspirations de cette parente encombrante qui avait pu, grâce à une dot importante, en espèces sonnantes et trébuchantes, joindre les rangs de la congrégation de Notre-Dame, cénacle réservé aux filles de riches.

Les rumeurs étaient confirmées : ces épouses du Seigneur nanties et cultivées n'acceptaient pas facilement les intruses d'une autre classe sociale.

Grand-papa suivait son investissement de près et recevait des nouvelles désastreuses de sœur Pierre-des-Saintes-Clefs, amie intime de sœur Marie-de-la-Fuite-en-Égypte, notre divine parente.

Ces sœurs de sang dans le Seigneur avaient rejeté la nouvelle venue avec tant de véhémence qu'affaiblie par toutes les injustices dont elle était victime, celle-ci avait attrapé la tuberculose et était morte devant mon grand-père, accouru au chevet de sa protégée. Dans un dernier spasme, la pauvre femme avait tendu les bras vers le ciel, murmurant :

— Thérèse, je suis prête !

Il s'agissait évidemment de la petite de Lisieux, son modèle, à qui elle se confiait depuis sa plus tendre enfance.

Ce grand-père plus grand que nature, malgré la bosse qu'il arborait fièrement, était né avec le vingtième siècle et avait été consacré sur l'autel de la Vierge par un jésuite descendant en droite ligne de ses pauvres coreligionnaires qui avaient été massacrés par l'Iroquois du coin. Son ancêtre, le bruit courait encore, avait porté le collier de haches rougies.

Grand-père, tout voleur de fonds de troncs qu'il ait pu être, est demeuré très croyant toute sa vie. À sa puberté, ayant un sérieux penchant pour la dive bouteille, il avait promis à Dieu de rester chaste si sa soif s'étanchait. Elle s'était étanchée tant bien que mal, et il avait dû se résigner à une chancelante sobriété.

Pour remercier le Seigneur, papi avait fait vœu de chasteté, mais avait quand même épousé une certaine Odilonne Cournoyer, qu'il avait engrossée un soir de rechute: il fêtait ses vingt ans. Elle était morte en couches en enfantant ma mère, laquelle aurait à affronter seule un père qui ne l'avait jamais désirée. Mom a toujours dit par la suite:

— Moi, mon père, c'est un quarante onces!

Même qu'un jour elle a ajouté:

— Ah, pis, autant que tu le saches, t'es assez vieux maintenant (j'avais cinq ans), ta grand-tante Mena, elle, c'est la fille d'un quarante onces et d'un manteau de rat musqué.

Je n'ai compris cette métaphore que plusieurs années plus tard, alors que la sainteté m'avait quitté.

Pour oublier ce faux pas, grand-père était devenu chevalier de Colomb et il était entré chez les Lacordaire pour y occuper les plus hautes fonctions, augmentant ainsi ses revenus.

C'est en suivant le frêle cercueil de la grand-tante porté par six nonnettes à la carrure impressionnante qu'il m'a raconté des bouts de sa vie qui, collés à ceux non censurés de ma mère, devenaient pour moi la plus impressionnante des sagas.

Le cercueil était fermé, mais une lunette de verre servant à éviter la contagion (les religieuses n'étaient pas embaumées) nous permettait d'apercevoir le visage de Mena, ravagé par la maladie. Vu l'enfermement et la chaleur, des perles d'humidité parsemaient son front et, juste au moment où je me penchais pour envoyer, à travers la vitre, un baiser d'adieu à celle qui deviendrait mon modèle pendant plusieurs années, une de ces perles a glissé le long de son front et, après avoir trouvé refuge quelques secondes à peine dans le coin de son œil droit, a roulé de nouveau sur la paroi nasale, se transformant en larme.

J'assistais donc au premier miracle de la future sainte. Je me suis mis à hurler en une douleur heureuse:

— Elle pleure, c'est un miracle!

Je me suis vu aussitôt entouré de toutes les cornettes présentes, qui venaient recueillir le premier témoignage d'un petit être privilégié et touché par la grâce.

— Sainte Marie-d'Égypte pleure les péchés des hommes, m'a glissé à l'oreille sœur Pierre-des-Saintes-Clefs.

J'ai tourné vers elle mes grands yeux embués et affolés. Je sentais son regard m'inciter à poser un geste, à montrer à tout ce beau monde que je faisais partie de la grande famille des bienheureux et, prenant mes jambes à mon cou, guidé par une force invisible, je me suis retrouvé dans le jardin des sœurs, arrachant une rose qui malgré les épines ne m'a même pas blessé. Je suis revenu flottant près du cercueil et j'y ai déposé la fleur du deuxième miracle : en effet, aux dernières nouvelles, la rose serait toujours intacte sur l'autel d'une Vierge Marie quelque part dans une chapelle du Témiscamingue.

Les religieuses, ayant bien ressenti que cet enfant porteur de miracles était pressenti, se sont agenouillées autour de lui pour entonner une oraison.

Après cet épisode émouvant et révélateur, nous nous sommes retrouvés, Mom, grand-père et moi, autour d'une croix de bois plantée dans le sable du grand cimetière couvert de Villa-Maria, à Notre-Dame-de-Grâce.

Seule la faible lueur du jour entrait par les rares fenêtres étroites de cet immense lieu de repos pour feu les épouses du Christ. Des trottoirs de bois nous permettaient d'aller prier devant la moindre croix qui portait trois noms.

Trois religieuses étant empilées sous chaque croix, sœur Marie-de-la-Fuite-en-Égypte serait déposée sur les restes encore frais de sœur Mathias-du-Saint-Calvaire et fort probablement sur les ossements de sœur Sainte-Marie-des-Sept-Plaies-du-Christ, oubliée au fond de cette fosse depuis de nombreuses années.

Tous les vingt-cinq ans, quelques tombes étaient vidées pour faire place aux plus jeunes, et les vieilles carcasses, ou du moins ce qu'il en restait, étaient transférées dans une fosse commune au fond de la sinistre demeure, et les noms s'accumulaient par centaines sur les gigantesques croix noires qui longeaient le mur de cet endroit très étrange, mais rassurant pour un futur saint de sept ans.

Dès mon entrée dans ce vaste hangar, j'ai senti l'appel ; un message m'attendait. Je pénétrais dans une autre dimension. Toutes ces croix m'entouraient pour me pousser vers le trou qui allait engloutir ma chère tante, et je me sentais attiré par ce gouffre. Ma mère, habituée à mes élans d'émotions imprévisibles, m'a retenu d'une main ferme au moment où j'allais m'y jeter en criant :

— Tante Mena, je pars avec vous.

Je n'ai même pas senti la poigne de ma mère, persuadé qu'un ange m'avait ramené à la raison pour entendre mon grand-père proclamer :

— Dans vingt-cinq ans, quand y vont l'exhumer, elle va être fraîche comme une rose, cette enfant-là.

Un grand homme comme lui, membre du Tiers Ordre dominicain en plus (cela m'avait échappé), ne pouvait se tromper. J'ai fait un calcul rapide dans ma petite tête d'enfant, ajoutant une dizaine d'années afin de respecter les différentes étapes de la canonisation: au moment de la cérémonie, je serais à peine dans la jeune quarantaine et je pourrais donc prendre les choses en main. J'avais été témoin des deux premiers miracles; il ne manquait que la conservation de son corps. En temps et lieu, je viendrais la déterrer moi-même, si nécessaire, pour retrouver son corps intact.

Rassuré par cette perspective, je me suis retrouvé sur le parvis du cimetière lorsqu'on en a fermé les portes, les verrouillant, et je n'ai pu m'empêcher un dernier emportement en m'accrochant aux poignées vermoulues, hoquetant entre mes pleurs:

— Sainte Mena, emmenez-moi avec vous!

Cette fois, Mom m'a laissé faire, grand-père Bobosse semblant conquis par la sainteté naissante de son petit-fils.

Ce n'est que de retour dans la limousine louée à grands frais que j'ai retrouvé mon calme, appréciant le confort et la beauté de ce palais roulant.

Pendant tout le jardin d'enfance, fort de cette journée déterminante qui m'avait annoncé le paradis, je suis resté le candidat idéal à la béatitude. Combien de fois ne suis-je pas tombé à genoux à l'avant de la classe après m'être écarté du groupe d'élèves, attiré par une lumière chaude et indescriptible?

Pendant les six années du cours primaire, que ce soit sœur Ange-Gabriel, sœur Marie-de-La-Garde ou sœur Pauline-du-Carmel, elles demandaient toutes à la classe de se joindre à moi pour une prière chaque fois que le phénomène se produisait.

Certains de mes camarades de classe détestaient ces démonstrations de foi spontanées et me le faisaient payer de leurs quolibets, mais j'étais le seul parmi eux à posséder déjà un aller simple pour le ciel. J'avais utilisé tous les moyens mis à notre disposition pour le mériter. J'avais gagné moult indulgences plénières et, surtout, j'avais respecté avec rigueur tous les premiers vendredis du mois, gage indiscutable d'une vie éternelle en paradis. J'étais armé et suivais mon petit bonhomme de chemin vers le collège classique sans une seconde de doute. Un jour, je verrais la lumière du Créateur et entendrais les trompettes triomphantes annonçant mon arrivée là-haut.

Tout a basculé le jour de ma première éjaculation. À l'âge de douze ans. Pendant les vacances d'été, dans le passage du jardin d'enfance à l'externat classique.

J'avais entendu parler de la masturbation. Mom avait été la première à bien me l'expliquer, mais je ne l'avais jamais pratiquée.

Le grand Riendeau, seize ans, un vicieux obsédé qui habitait le quartier, me répétait que ça ne servait à rien avant l'âge de treize ans. Ce qui fait qu'à douze ans, c'est parti tout seul. Et c'était sa faute en plus.

Riendeau prenait un malin plaisir à me décrire le massage qu'il me donnerait quand j'aurais treize ans. Pour ma fête. Ce n'était pas la première fois qu'il m'agaçait avec ses fantasmes de masseur: l'éclairage serait tamisé, je serais obligé d'enlever mes sous-vêtements afin de ne pas les tacher avec l'huile chaude dont il m'enduirait tout le corps pour tonifier mes muscles.

Je trouvais toujours ça excitant, je sentais un gonflement inhabituel dans mon pantalon, mais il ne se passait rien de spécial. Le fameux jour de mon admission dans le beau monde des adultes, Riendeau n'avait pas fini de prononcer le mot «muscle» que j'inondais mes bobettes et, en à peine vingt-quatre heures, je devenais le maître du fantasme.

Dès mon arrivée à l'Externat classique de la Sainte-Foi, on me répétait que le péché me fermerait les portes du paradis. J'avais mes premiers doutes: il me serait difficile dorénavant d'imaginer un bonheur supérieur à un geyser traversant la chambre humide et miséreuse d'un ado qui découvrait les autres effets de la lévitation.

Au début, me considérant comme un élu naturel, vu mes références, je n'arrivais pas à comprendre qu'en tant que privilégié d'un Dieu bon et généreux, on puisse me défendre de me masturber.

— Si y a un Bon Dieu qui a mis ça là, c'est pour s'en servir, jamais j'croirai! claironnait ma mère.

Pour me déculpabiliser, j'offrais chaque fois ma semence au Seigneur, mais mon directeur de conscience, le coincé révérend père Allaire, n'approuvait absolument pas mes élans de générosité. Je préférais les conclusions de ma génitrice.

— Quand tu viens, mon homme, c'est toi le Bon Dieu, m'assurait-elle depuis mes six ans.

Après un an de collège et de rêves érotiques incessants, mon désir de sainteté a commencé à s'estomper et il s'est définitivement volatilisé le jour où Louis Sanschagrin, révérend père de la Sainte-Foi, m'a coincé violemment dans le fond de son bureau pour me frencher.

Quand ma mère, à seize ans, a décidé de quitter le Témiscamingue pour la métropole, elle l'a d'abord annoncé à son père qui, contre toute attente, lui a remis une enveloppe et un trousseau de clés.

Mom avait grandi dans un univers totalement contraire aux préceptes de son père. Déjà toute petite, alors qu'on l'avait déguisée en enfant de Marie pour une quelconque cérémonie, elle avait imaginé une façon très personnelle et inconsciemment érotique d'enlever son auréole de fleurs devant les enfants de chœur.

Jusqu'à sa mort, elle a répété, demandant qu'on l'inscrive sur sa tombe:

— Moi, l'cul, j'avais ça dans l'sang!

Lorsqu'elle est morte, nonagénaire, les autorités du cimetière Notre-Dame-des-Neiges auraient sans aucun doute refusé le monument que j'aurais fait graver à grands frais.

Mom grandissait donc en beauté et ses contorsions suivaient les courbes de son adolescence.

— C'est de la graine de péché! en avait conclu mon grand-père.

Il multipliait les neuvaines pour sauver sa fille, mais plus elle vieillissait et plus fondaient ses chances de devenir une femme vertueuse: à peine avait-elle douze ans qu'elle courait le bûcheron au vu et au su de tout le village.

Grand-père, voulant lui indiquer le droit chemin, lui avait découvert des talents de chanteuse et, à quatorze ans, elle était devenue soliste pour les grandes cérémonies religieuses de sa paroisse.

Papi avait repris espoir.

Maman maîtrisait la cantate comme une pro, mais le jour où elle s'était présentée parmi le chœur pour son solo, le chemisier échancré sous prétexte que cela l'aidait à mieux respirer, et avait entonné un kyrie jazzé, elle s'était attiré les foudres de son paternel et du clergé présent.

À partir de ce jour, grand-père n'avait plus rêvé que de la voir disparaître.

C'était devenu infernal. À seize ans, rousse et flamboyante (elle ressemblait déjà à Rita Hayworth), c'était encore pire.

Tous les soirs, elle se déshabillait devant sa fenêtre sans tenir compte des avertissements de Bobosse, qui finalement avait fait barricader l'ouverture pendant que maman décidait de partir pour la grande ville.

C'est donc avec un sourire franc qu'il lui a tendu son héritage.

— Je savais que, délurée comme tu l'es, tu ferais pas de vieux os au Témiscamingue. Dans cette enveloppe-là, t'as une maison à Montréal-Est au coin de Notre-Dame et Vercingétorix. Elle t'attend. Installe-toi là, moi j'ai plus la force de t'endurer. On se téléphone si y a quelqu'un qui meurt.

Il y avait aussi plusieurs centaines de piastres dans l'enveloppe. Mom a pris le premier autobus pour Montréal. Douze heures plus tard, comme son idole Édith Piaf attendant son Louis Leplée, elle s'est plantée au coin du boulevard Saint-Laurent et de la rue Sainte-Catherine pour chanter une complainte de la grande Damia.

Mom avait choisi ce coin de rue tout simplement pour son animation et la faune bigarrée du quartier.

Son Louis Leplée n'a pas tardé à se pointer pour l'écouter. Elle avait à peine entamé le deuxième couplet de sa chanson que le grand Jean Grimaldi (seul directeur de théâtre à pouvoir se permettre d'engager une débutante, son théâtre affichant déjà les grandes gloires comiques du burlesque montréalais) s'est arrêté pour admirer sa chevelure.

De la fin des années 1920 jusqu'au milieu des années 1960, Jean Grimaldi a organisé des spectacles dans plusieurs théâtres montréalais, mais aussi des tournées au Nouveau-Brunswick et même aux États-Unis. Il travaillait alors avec les grands artistes de variété de sa génération : la Poune, Ti-Zoune, Juliette Pétrie, Manda et tout ce que le Québec comptait de comiques.

Mom avait du caractère et un body à faire rêver les populations en temps de crise. Il fallait miser gros pour attirer la clientèle. À l'entracte, dans certains théâtres, on faisait même tirer des jambons. Le monde crevait de faim.

Monsieur Grimaldi a apostrophé Mom avec son accent corse dont il était fier.

— T'as pas le droit de rester ici, belle comme t'es. Es-tu comédienne ?

— Je le sais pas.

— J'vais te l'dire. Es-tu drôle?

— Ça m'arrive.

— La Poune décidera. Es-tu danseuse?

— Ça, chuis pas mal bonne.

— Rémy et Kelly vont te prendre en main. Es-tu chanteuse?

— J'essaye.

— Tu te forceras. Envoye, Cacarisse, suis-moi. La répétition commence dans une demi-heure.

Elle l'a suivi sans protester et a fait partie de la troupe pendant plusieurs années.

Voilà pour le conte de fées.

J'étais en syntaxe quand le révérend Sanschagrin m'a fait sauter le pas. J'avais treize ans. Il m'a envoyé un billet me demandant de me présenter à son bureau à onze heures moins dix. Je le connaissais depuis peu. Je ne savais qu'une chose à son propos : il avait été missionnaire dans le Grand Nord. Il m'enseignait les mathématiques. La plupart du temps, je séchais ses cours et, quand j'étais dans la classe, je ne l'écoutais pas. Il avait fière allure, mais n'avait aucun charisme, selon moi.

Il voulait certainement me donner un avertissement. Il était moins le quart. Son bureau était derrière les grandes portes de la salle d'études où je me trouvais. J'avais juste le temps de faire approuver le billet par le surveillant.

— Je suis convoqué par mon professeur de mathématiques.

L'homme à qui je m'adressais, et qu'on appelait tous « Liche-Bobettes », était portier, surveillant, entremetteur, etc.

Au collège, il avait une chambrette au sous-sol, près de la chambre aux fournaises, ce qui le frustrait énormément : aucun élève, même parmi les plus délurés, n'acceptait de le suivre dans ce sous-sol qui faisait peur et possédait son lot de légendes.

Liche-Bobettes a penché la tête en levant les yeux vers moi, après avoir accroché à son visage couperosé une tentative de sourire qui s'est transformée rapidement en une moue indéfinissable. J'ai interprété sa grimace comme une approbation et, quarante-cinq secondes plus tard, je frappais à la porte du révérend. Une voix lointaine m'a invité à entrer.

L'obscurité était totale. Soudain, une tenture s'est entrouverte, à peine, juste assez pour laisser passer un rayon de soleil. Il était là, derrière son bureau, en t-shirt moulant. Le corps d'un grand ado aux muscles nerveux veinés de bleu baignant dans le rayon diffus qui faisait comme une auréole autour de sa tête.

Le héros de mon roman érotico-scout préféré, le bel Éric, blond éphèbe de *Cœur joyeux et tête d'or*, grâce à mon imagination débordante, prenait vie devant moi.

J'ai eu à peine le temps de fantasmer quelques secondes. Prenant son courage à deux mains, Sanschagrin contournait le bureau, se pétait le gros orteil sur le coin du meuble, fonçait sur moi et je me retrouvais dans un coin de la pièce, entre la fenêtre et la bibliothèque, en train de subir les derniers outrages.

En quinze secondes, j'ai dû vieillir de dix ans. J'étais partagé entre mon obsession de la sainteté et ma curiosité maladive pour les choses du sexe. J'entrais dans une spirale. J'étais enlevé dans un tourbillon digne de celui de Dorothy dans *The Wizard of Oz*. Je nous voyais, lui en pape et moi en martyr égorgé le long de la voie Appienne par une bande de voyous de la Piazza Navona, digne de Pasolini. Même Maria Goretti est venue faire un cameo.

Elle, elle a crié NON, et le gars l'a égorgée; moi, j'avais beau hurler OUI à m'en péter les cordes vocales, mes jeunes bourreaux m'étripaient quand même.

Pendant ce temps-là, mon curé me fouillait joyeusement partout. J'appréciais, mais continuais mon voyage imprévu. Comme les saints qui avaient eu des révélations, les saints qui avaient entendu des voix les guidant sur le sentier du bien, une lumière éblouissante m'annonçait que j'étais né pour commettre le plus de péchés possible, pendant une existence relativement courte mais remplie de surprises. En effet! Et ça commençait bien.

Mon futur mentor en était rendu à se battre avec les boutons de ma braguette. Je pouvais continuer à réfléchir à mon avenir.

Pendant que mon corps astral s'envoyait en l'air dans sa spirale, l'autre, celui qui m'accompagnait la plupart du temps, les boutons de ma braguette ayant fini par céder, se faisait enseigner diverses techniques de fellation. Un vague coin de mon cerveau qui réfléchissait encore un peu me disait: «En principe, faudrait ben que tu y mettes ta main sua yeule!»

Mais j'étais en érection. Difficile de me faire des vues et de me faire croire que je n'aimais pas ça, que j'étais insulté. J'avais des frissons, des hoquets et le grand spasme de vivre n'allait pas tarder à se manifester.

La carrière de Mom avec la troupe Grimaldi n'avait duré que quelques années, mais l'été, elle avait continué à faire les tournées. Dans ces tournées-là, elle ne dansait pas toute nue. Elle était teneuse d'affiche pour annoncer les sketches et elle jouait de petits rôles à l'occasion. Elle avait même dansé le paso doble avec la Poune dans un numéro final. La nudité lui manquait, se souvenant de ces moments torrides passés devant la fenêtre de son humble chambre du Témiscaminque. Elle était donc devenue danseuse exotique au Hawaiian Strip Club et avait décidé de faire quelques passes pour arrondir les fins de mois, mais elle m'avait rassuré :

— Je n'accepte que la position du missionnaire.

Aspirant saint de huit ans, j'avais appris que ma mère priait avec les clients.

Pendant ses premières tournées, il paraît que Mom avait fait une vraie folle d'elle. Le bruit courait qu'elle avait eu la cuisse encore plus légère à Burlington. C'est là apparemment, selon Manda Parent, que j'avais été conçu et que le père avait disparu sans laisser de traces, à part moi.

Quand j'étais entré à l'école, pour me rendre intéressant, j'avais commencé à faire semblant de parler anglais et à raconter que j'étais à moitié Américain, orphelin de père. Je disais que mon géniteur était mort à la guerre en se plaçant devant un général, pour le protéger pendant des tirs ennemis. Dad avait reçu la balle en plein cœur, et le général avait reçu plein de médailles.

Et pour finir de garnir le plat, rendue à Boston, Mom se pensait à New York et cherchait l'Empire State Building partout. Personne dans la troupe ne lui avait signalé son erreur. Ça, c'était le genre de tours qu'aimait faire monsieur Grimaldi. Mom était revenue à Montréal en gueulant partout que l'Empire State Building, c'était un coup monté. Un complot. Elle avait même écrit au maire de New York pour se plaindre. Il lui avait poliment répondu, sans oublier de glisser dans l'enveloppe une magnifique photo du célèbre gratte-ciel. Tout ce qu'elle avait trouvé moyen de dire :

— Faut leur donner ça, les Américains, y sont *number one* en photos truquées. C'est pas pour rien qu'y gagnent toujours les guerres, bout de verrat!

Nous étions coincés entre la fenêtre et la biblio, et mon saint ivrogne (il sentait l'alcool à plein nez) était en train de pratiquer sur moi le *deep throat*.

Juste au moment où je remerciais la nature d'avoir inventé ce moyen de communication incontournable et, surtout, juste au moment où la fontaine lumineuse s'apprêtait à jaillir, il y a eu un changement de cap. Aussi vite le révérend Louis Sanschagrin m'avait-il étampé sur le mur à mon arrivée, aussi vite il m'a jeté dehors en me poussant dans le corridor, la fly ouverte et un serrement de gosses comme prix de présence. La phrase est sortie toute seule:

— Y m'a même pas laissé venir, c'te sacrament-là!

Incapable de marcher sans hurler, je suis resté là une bonne demi-heure à écouter ce qui se passait derrière la porte. Ça a commencé par un grand cri style *rebirth*, mêlé d'une série de confiteor. Un grand silence a suivi, interrompu par des bruits de chaises renversées. Je me suis mis à marcher comme un zombie dans le corridor, étourdi comme si je sortais de la maison de la grosse femme qui riait au parc Belmont.

J'avais une seule certitude en tête: je ne croyais plus en Dieu. Finie la religion, finie la confession, finie la sainteté. Je pourrais me crosser tranquille sans culpabiliser. Si mon prof pouvait, pourquoi pas moi? J'ai décidé de suivre son exemple. Pour sauver la face, je continuerais à aller communier tous les dimanches; c'était la seule chose, finalement, que j'aimais dans la religion catholique: descendre l'allée, endimanché, vers la sainte table, m'agenouiller en joignant les mains, relever la tête, fermer les yeux, ouvrir grand la bouche et sortir ma langue pour recevoir le corps du Christ. Les jours de grandes messes accompagnées par l'orgue, je lévitais.

Méchant fantasme gay, le corps du christ; le martyr de saint Sébastien pouvait aller se rhabiller.

J'étais bien placé pour l'affirmer. Devant moi, sur le grand mur qui me faisait face dans la salle d'études, il y avait un crucifix géant, signé par un curé à la retraite qui s'était lancé dans la sculpture. Il s'était donné pour mission de refaire le *David* de Michel-Ange en plus moderne, et grâce à ses connexions à Rome, il avait la profonde certitude qu'il irait y finir ses jours pour terminer les esclaves du tombeau de Jules II que Michel-Ange avait laissés en plan.

Le curé en question, avec la bénédiction du père directeur, pouvait inviter certains élèves à aller poser le soir et la fin de semaine. Certains d'entre eux, au physique avantageux, étaient même autorisés à poser nus, l'œuvre d'art n'étant pas considérée comme matière à péché. Le Christ que j'avais devant moi, la jupette très écourtichée et un peu gonflée, ressemblait étrangement au pétard de la classe de belles-lettres, Julien d'Essanges, qui faisait de la musculation et du temps supplémentaire chez notre sculpteur-curé-retraité. Méchante guidoune, notre beau Brummell! Le bruit courait qu'il se faisait sucer par le pachydermique père Blondin.

En fait, c'était moi qui faisais courir le bruit. J'avais déjà poussé la porte entrebâillée du père en question et je l'avais surpris, la tête perdue entre les cuisses de cet apollon, debout sur un tabouret, le gros abbé étant incapable de s'accroupir.

Et j'avais été heureux de découvrir que notre bellâtre avait plein de boutons sur les fesses, qu'il avait fort belles, nonobstant.

Le gros abbé, trop occupé à pomper, à suer et à pousser de petits cris animaliers, n'avait même pas senti ma présence. Par contre, d'Essanges, sur son piédestal, avait dardé sur moi un regard de braise et je m'étais enfui dans le corridor, sans avoir oublié de pousser sur la porte avec mon avant-bras afin qu'elle s'ouvre complètement.

J'étais encore sous le choc. Je continuais à déambuler dans le collège sans trop savoir où aller; j'étais tellement mêlé. Je l'étais encore plus si je me repassais les événements. J'avais l'impression de les avoir vécus dans une vie antérieure ou de me réveiller d'un mauvais *wet dream*.

Je me suis mis à penser à certains élèves de ma classe qui avaient exactement le profil pour combler les désirs d'un homme comme Louis Sanschagrin, mais qui, en matière de sexualité, étaient aussi nuls que moi en mathématiques. Je les imaginais en train de se faire enfiler et, j'avais beau ne pas être psychologue, je soupçonnais qu'ils seraient sortis du bureau fuckés en crisse. Je commençais même à penser que je devais l'être moi aussi et que j'étais à la veille de m'en apercevoir. J'avais trop le goût de tuer. Pourtant, ce qui me troublait le plus, c'était que j'avais aimé ça et que Sanschagrin n'avait même pas eu la délicatesse de me laisser venir. En tout cas, si moi je devenais confus, je me consolerais en pensant que lui l'était encore plus que moi. En fait, ce viol inattendu m'avait rassuré. J'aimais ça, le cul. Mais, moi, je ne sucerais jamais un petit gars de treize ans sans d'abord lui demander la permission.

J'avais un autre problème et de taille. Je venais de prendre la résolution de quitter les cathos, mais j'avais commis des péchés avant de le faire. Pour être en règle, je devrais peut-être aller voir mon directeur de conscience pour faire une dernière confession, quêter une ultime absolution.

Repartir à neuf. Relire Jean-Paul Sartre (j'avais lu *La Nausée* et c'était ma bible) et devenir définitivement existentialiste. Je l'étais déjà à moitié. Dans mon col roulé de laine noire, même par les beaux soirs d'été, j'allais à l'Échourie boire de l'espresso bien tassé, fumer des Gitanes, respirer la bonne odeur de swing et écouter les poèmes de Janou Saint-Denis.

C'est là que j'avais vu mes premiers filets de pêche. La mode était lancée. Tous les chansonniers du Québec allaient se prendre la guitare dans le filet de pêche, de Val-David à Percé, pendant les vingt prochaines années.

À force d'errer et de me perdre dans les escaliers, j'étais enfin rendu sur le trottoir face à l'externat. Je suis revenu chez moi comme un automate. J'étais devant la porte de la maison que j'habitais avec Mom à vingt minutes, au pas de course, du collège.

Il était environ deux heures en ce lundi après-midi. Je suis rentré et je suis allé me cacher sous mes couvertures. Je me suis mis à sangloter et me suis réveillé le mercredi matin.

Cette maison que ma mère avait héritée de son père était dans un état si lamentable que nous étions loin d'imaginer la valeur qu'elle représenterait un jour. Elle avait trois étages. Nous habitions le rez-de-chaussée qui avait déjà été un magasin général. C'était une immense pièce qui nous permettait de nous exprimer, Mom et moi. Dans l'arrière-boutique, nous avions pu aménager deux chambres, ce qui faisait notre bonheur avant les événements. Au-dessus de nos têtes, il y avait deux étages vides et pas loin du taudis. Le tout couronné d'une petite tourelle en fer blanc ouvragé et enluminé de rouille, le seul charme de cette grande bâtisse, qui pourtant faisait bien son travail de maison.

Par contre, j'avais bien hâte de monter au deuxième étage, d'y installer ma garçonnière. À treize ans, je commençais à avoir besoin d'un peu d'intimité. Ne serait-ce que pour mes nombreuses lectures et mes fréquentes masturbations quotidiennes.

Ma chambre, je l'aurais un jour, mais au prix de quel chambardement!

J'étais content que Mom m'ait laissé dormir; je ne voulais pas l'achaler avec mes histoires de cul. Elle dansait au club. Son dernier show était à trois heures du matin. Tout ça pour trois guidounes et une dizaine d'ivrognes qui restaient à téter leur bière en bavant sur le bord de la scène et en lui lançant des obscénités. Elle était épuisée.

— J'ai la plotte à terre pis le trou d'cul en dessous du bras, mon homme. Mais qu'est-ce que tu veux? Faut ben que je paye tes études.

À quarante ans, elle commençait à être un peu vieille pour faire la danseuse exotique, mais elle avait un gros fan-club de vieux vicieux qui la suivait depuis vingt ans.

Elle était cool, Mom. C'était la première à qui j'aurais pu raconter mon aventure avec le saint homme. Vu le milieu qu'elle fréquentait, disons qu'elle était plutôt large d'esprit. Si je lui avais raconté mon aventure, elle aurait couru faire brûler un lampion, tellement elle aurait été fière que son fils ait rencontré un bon garçon. Mais Mom n'étant pas la discrétion incarnée, je n'avais pas le goût de devenir la coqueluche du Hawaiian Strip Club parce que j'avais baisé avec un curé à treize ans.

J'allais donc attendre de panser mes plaies avant de parler à Mom... si plaies un jour il y avait. Pour l'instant, ça regardait mal. Je me rendais bien compte que j'étais resté sur ma faim et que j'étais prêt à recommencer n'importe quand. Mais je ne ressentais aucune culpabilité. Aucun remords non plus d'avoir décidé de ne plus croire en Dieu. Ça faisait des années que Mom me répétait que c'était ben niaiseux, de croire à ça.

— Le Bon Dieu n'existe que dans not' cœur. Pis tout' les sparages qu'y font pour l'honorer et toutes les lois qu'ils édictent pour nous empêcher d'avoir du fun, c'est juste des idées de tapettes frustrées. Quant au ciel, j'espère que ça existe pas. Est-ce que j'ai envie d'aller vivre une éternité à côté du cardinal Léger? Méchant party! Pis l'enfer, on est déjà dedans, sacrament.

De plus, je ne m'étais jamais posé de questions sur ma sexualité. Mom avait réglé le cas, simplement, il y avait déjà cinq ans. Un jour, j'étais sur la galerie à quatre pattes devant ma petite voisine, en train de coudre le bord de sa robe en papier crêpé pour le défilé de mode de l'après-midi dans la cour. C'était l'époque où je voulais devenir couturier.

Mom était sortie sur la galerie en pointant vers moi un doigt sévère.

— François, rentre, j'ai à te parler.

Ça devait être sérieux, elle m'avait appelé François, me donnant du Frank habituellement. Elle voulait que je réussisse aux États-Unis. Réussir dans quoi, elle ne m'en avait jamais soufflé mot. Après s'être assise, impériale, sur le seul fauteuil qui avait de l'allure dans la maison, elle m'a demandé :

— Quel âge que ça te fait, là ?

— Huit ans, presque neuf.

— T'es assez vieux pour comprendre, alors écoute bien ce que je vais t'annoncer. C'est de première importance. C'est un conseil de mère que je te donne : niaise pas pendant les cinq prochaines années à te poser des questions sur tes attirances sexuelles. Mom en a assez vu. Fais-toi à l'idée, t'es un homme aux hommes : plus clairement, t'es un fifi ! Pis, freake pas ! Tu sais comment Mom s'en sacre, hein ? En plus, ça fait du ben bon monde, regarde Léo Rivest.

— Est-ce que ça va m'empêcher d'aller au ciel et de devenir saint ?

— Si t'arrives à dealer ça avec saint Pierre, mon petit gars, j'te lève ma mitre.

Et la voilà partie vers la cour arrière arroser ses gloires du matin, sans oublier de s'arrêter à mi-chemin, comme elle le faisait toujours, pour lancer une dernière phrase, habituellement anodine :

— Ah oui, pis arrête de me poser des questions sur ton père, j'm'en souviens pas c'est qui. Pis compte-toi chanceux, si t'es là, c'est parce que la capote a déchiré.

Un peu ébranlé, je me suis précipité vers ma petite voisine qui avait quand même sept ans.

— Est-ce que tu sais c'est quoi, un fifi ?

— Oui, c'est des monsieurs qui se sucent la graine. Mon père l'a déjà expliqué à ma mère.

Pour un gars de huit ans, ça restait nébuleux, mais j'allais finir par comprendre : je n'aurais qu'à m'inscrire à l'Externat classique de la Sainte-Foi.

Parlant du loup, dès jeudi, il fallait que je retourne dans l'antre du mal.

J'ai eu une nuit plutôt agitée, mais quand je suis sorti de chez nous, le lendemain, il y avait une espèce de vent de printemps avec une odeur de lilas qui m'a effleuré la face. Je suis parti en courant vers mon malheur.

Il y avait deux billets dans mon pupitre. Mes deux jours de collège buissonnier. À onze heures moins le quart, je recevais le troisième. Je n'ai même pas pris le temps de passer par le surveillant. En moins d'une minute, j'étais devant la porte du père Sanschagrin.

Tout de suite, elle s'est ouverte, me permettant de découvrir mon athlète entièrement déguisé en curé. Tunique noire et col romain, accompagnés d'une étole négligemment jetée sur ses épaules. Voyant mon air interdit, il a dit:

— J'ai pensé que tu voudrais te confesser.

Je l'ai trouvé pour le moins impertinent et j'ai décidé de l'accoter:

— Je n'ai pas besoin de me confesser, j'ai pas fait de péchés.

— Oh, il y a toujours un petit coin sombre.

— Ici, c'est entre la bibliothèque et la fenêtre, le petit coin sombre, ai-je répliqué en indiquant l'endroit de son méfait.

Un court silence a suivi. Sanschagrin venait de comprendre qu'il avait affaire à un petit vite.

Après avoir posé une fesse sur le coin avant gauche du bureau jonché de feuilles de cours, il s'est exclamé:

— Ta-dam! Le retour de l'enfant prodigue!

Il a été le seul à rire de sa blague de curé. Pour briser le silence qui semblait vouloir s'installer de nouveau, il a ajouté:

— En fait, le véritable motif de ta présence ici, c'est que je voulais m'excuser pour l'autre fois. J'étais saoul. Lundi, j'ai célébré trois messes basses bien arrosées avant de t'envoyer un billet.

— Mom dit qu'un bon chrétien a toujours le droit de prendre une brosse.

Il a pris le temps de s'asseoir pour bien me préciser:

— Je suis alcoolique. J'ai célébré ma première messe il y a dix ans, et quand je me suis enfilé la première gorgée de vin, en sentant la chaleur de l'alcool qui envahissait le haut de ma poitrine, j'ai su que je serais accro jusqu'à la fin de mes jours. Dans ma naïveté de jeune curé puceau, j'arrivais à me convaincre, avec une mauvaise foi évidente, que c'était le sang du Christ coulant dans mes veines qui me faisait un tel effet. J'ai tout de suite subtilisé une bouteille pour faire des tests dans mon bureau, je l'ai calée et j'ai passé une bonne heure les bras en croix à supplier Dieu de me pardonner mes fautes. J'avais vingt-trois ans à l'époque et je ne me masturbais même pas. Je me suis flagellé avec une serviette mouillée et j'ai allumé toutes les chandelles disponibles pour me laisser couler de la cire sur le corps.

— Est-ce que ça fait mal?

— Je te le ferai un jour, c'est très spécial et très sensuel.

Il avait murmuré sa dernière phrase avec une voix profonde pleine de sous-entendus qui aurait fait bander un barreau de chaise. Il était plus cochon que Riendeau avec ses massages.

— Pourquoi vous me racontez tout ça?

— Parce que je sais que tu es prêt à l'entendre.

Malgré mes treize ans, j'en avais l'air de seize: les gens me parlaient toujours comme à un adulte. Même si j'étais surdoué, des fois, ça me mêlait un peu.

Dans le milieu où évoluait ma mère, j'en avais appris, des choses pas très catholiques. Ça devait transpirer.

Je me disais aussi qu'il me faisait confiance et qu'il cherchait peut-être un ami. Ayant repéré le petit vicieux qui se fermerait la gueule jusqu'à ce que mort s'ensuive, il avait décidé de vider son sac. Au propre et au figuré.

Jusqu'à ce qu'il me rencontre, il ne savait même pas qu'il était homosexuel, m'a-t-il avoué. Il l'avait compris le jour où il m'avait vu en jackstrap pour la première fois dans la salle de gymnastique. Il faut dire qu'avec le cul dont j'avais été gratifié, il y avait matière à s'attarder du regard.

Ça faisait déjà une bonne dizaine d'années qu'il était prêtre. Il avait été missionnaire dans le Grand Nord avant d'atterrir chez nous, il y avait de cela à peine quelques mois. Complètement asexué, il ne se masturbait même pas. Mais quand il m'avait aperçu dans le plus simple appareil, il avait perdu la carte. Il était encore bouleversé pour lundi, regrettant le geste qu'il avait posé et voulait faire amende honorable. Il a même osé me jurer qu'il ne se souvenait de presque rien. Un ange est passé.

— La culture, ça t'intéresse?

J'ai acquiescé d'un hochement de tête, ne comprenant pas où il voulait en venir.

— Quel est ton auteur préféré?

Si ça s'était su, que je lisais des livres à l'index, j'aurais été renvoyé du collège. Mais j'avais l'impression que, lui, il fallait qu'il le sache.

— Jean-Paul Sartre.

— Intéressant. Tu as lu…?

— *La Nausée*.

— Maintenant, il faut lire *Le Mur*… Et si tu aimes le théâtre, *Les Mouches*. Un chef-d'œuvre incontournable.

J'étais étonné. Il en connaissait presque autant que moi. J'allais continuer l'aventure.

— Je vais aussi lire les livres de sa femme…

— Simone de Beauvoir.

— Particulièrement *Le Deuxième Sexe*. Et j'ai aussi le projet de consulter tous les livres à l'index du vingtième siècle. J'ai très hâte de lire André Gide. Il allait en Afrique du Nord et se tapait des p'tits jeunes…

Je l'ai fixé bien dans les yeux.

— Comme vous.

Il n'a même pas sourcillé, mais un lourd silence s'est installé. C'est lui qui a repris la discussion:

— Qui te fait connaître ces chefs-d'œuvre?

— C'est Henri Tranquille.

— Qui est ce monsieur Tranquille?

Amoureux des livres et libre-penseur, Henri Tranquille a été un guide pour plus d'un écrivain québécois. La célèbre librairie Tranquille était le lieu de rencontre par excellence des intellectuels, des artistes de toutes tendances et des jeunes curieux comme moi.

— Il a une librairie rue Sainte-Catherine, juste en face du théâtre Gayety où Lili St-Cyr dansait.

— Pardon?

Je venais de le perdre et j'ai décidé de l'impressionner. Je lui ai sorti d'un trait:

— Lili St-Cyr, c'est son nom d'artiste. En vérité, elle s'appelle Marie Van Schaak. Elle est née à Minneapolis en 1917. Elle a vécu à Montréal pendant sept ans et a complètement révolutionné la danse érotique. C'est elle qui est à l'origine des «Nuits de Montréal» et elle a eu beaucoup de succès au théâtre Gayety, où elle gagnait jusqu'à cinq mille dollars par semaine. En 1950, le clergé l'a poursuivie, mais elle a été acquittée. Il y a une loi qui dit qu'une personne ne peut pas sortir de scène avec moins de vêtements qu'à son arrivée devant le public. Alors, elle a eu l'idée de commencer son numéro toute nue, dans son bain, et elle se rhabillait pour sortir. Apparemment, c'était encore plus cochon. Mais, même acquittée, on l'a tellement écœurée qu'elle a décidé de retourner *right back to the States.* Mais pas avant d'être allée crier devant la cathédrale Marie-Reine-du-Monde: « *Fuck you, mister Cardinal!* »

Étrangement, j'ai décelé un vague sourire sur les lèvres de Louis. J'ai décidé de continuer à l'agacer:

— Si ça vous tente vraiment de mieux apprécier sa beauté, son premier film, *The Son of Sinbad,* passe au System la semaine prochaine. Si jamais elle revient à Montréal, je vous la présenterai, c'est une chum de fille de ma mère.

— T'en connais beaucoup, des histoires comme ça?

— Attendez que je vous raconte l'histoire du roi d'Angleterre qui est mort en se faisant sodomiser avec un tisonnier rougi. Et les pratiques sexuelles des Britanniques quand ils étaient en Chine. Ils faisaient de grands partys pour la noblesse. Dans un long corridor menant à une grande salle, il y avait plein de nègres tout nus, couchés à plat ventre le long de l'allée, tous avec une grosse chandelle allumée plantée dans le cul. Les ladys passaient et lâchaient des « *Oh, interesting, it is Sodome!* ». Tout le monde allait s'installer dans la grande salle. Devant l'assistance, y avait une vingtaine d'oies sur des colonnades, montrant leur postérieur, la tête cachée derrière un rideau de velours. Vingt couples s'avançaient. Les hommes allaient se placer derrière les oies, et les femmes, derrière le rideau de velours. Là, le mari commençait à zigonner l'oie et quand la tension arrivait à son comble, il criait à sa femme: « *Get ready, darling.* » Quand il était juste sur le bord de se répandre, il lâchait un nouveau commandement à bobonne, qui coupait le cou de l'oie avec un sabre. Le trou d'cul de l'oie se rétrécissait considérablement sous le choc mortel et te squeezait le pénis de façon pas très délicate, mais l'homme jouissait à s'en fendre l'âme. C'était l'un des plaisirs raffinés de l'Empire du Milieu.

Un très long silence de nouveau, comme si j'avais dit quelque chose de déplacé.

— Mais qui t'apprend tout ça?

— C'est dans les livres de monsieur Tranquille.

— T'intéresses-tu un peu à la peinture?

— Je m'intéresse particulièrement aux impressionnistes. Mon peintre préféré, c'est Picasso. Mais j'ai aussi un faible pour Modigliani.

Il était maintenant assis sur le bout de son fauteuil et buvait mes paroles.

— J'aimerais en savoir plus. Est-ce que ça te tenterait qu'on se voie tous les jours pendant une quinzaine et que je t'apprenne aussi des choses? Je suis en mesure de te prêter tous les livres à l'index que tu veux consulter.

Et il a ajouté, professionnel:

— Je pourrais aussi t'aider pour ton examen de mathématiques.

Très intéressé, j'ai répondu trop rapidement:

— Oui, mais le surveillant va finir par se douter...

Je venais d'accepter sans même réfléchir, un frisson le long de la colonne vertébrale m'ayant soufflé la réponse. Et, de nouveau avec sa voix grave et irrésistible, il a répondu:

— Oublie le surveillant. Il est très mal placé pour dénoncer qui que ce soit.

Le plan était simple: sous prétexte que j'étais pourri en maths, pendant l'étude, il me ferait venir à son bureau et on ferait du rattrapage. Soixante-quinze minutes par jour pour progresser dans une matière qui m'horripilait.

L'aventure m'excitait au plus haut point et, le lendemain, un vendredi, j'étais assis devant son bureau à onze heures moins dix pétantes.

À mon grand étonnement, dès cette première rencontre éducative, j'ai écouté ce qu'il me disait et j'ai compris un tas de choses, entre autres qu'en classe, pendant son cours, je rêvais. En plus, étant le plus grand, je m'étais évidemment retrouvé dans la dernière rangée, à côté de la fenêtre, et je me perdais dans le paysage. Je connaissais mieux le carré Vercingétorix que le carré de l'hypoténuse.

Dans son bureau, j'avouais volontiers qu'il en avait, du charisme, mais il m'arrivait plus grave: je le trouvais très beau et ses cheveux blond sale taillés en brosse lui donnaient une virilité qui me troublait de minute en minute. Même ses pectoraux étaient mis en valeur par la maudite soutane. En fait, à bien y réfléchir, c'est la soutane qui était mise en valeur.

Je comprenais tout. J'aimais ça, avoir toute son attention. J'en ai plus appris en soixante-quinze minutes qu'en une année complète. Pendant les dernières minutes de ce premier vendredi, il m'a fait part de nos projets pour la fin de semaine. Comme, initialement, il ne m'avait jamais parlé des fins de semaine, j'ai tendu l'oreille, inquiet mais intéressé.

Il me proposait un samedi entièrement culturel et un dimanche très spécial où je serais servant de messe.

Cinquante ans plus tard, je reste persuadé que personne n'a vécu autant de moments d'émotion en un si court laps de temps.

Son bureau, quand je suis arrivé le samedi, était recouvert de livres. Premier moment de bonheur total: tous les livres de Jean-Paul Sartre étaient étalés devant moi. Également, *Le Deuxième Sexe* de Simone de Beauvoir, *Les Caves du Vatican* d'André Gide, le *Larousse du xxe siècle*, un atlas, une encyclopédie sur les impressionnistes et un dernier grand livre avec toutes les toiles de Modigliani.

Il m'a proposé de jouer à un jeu. Il me nommerait un personnage célèbre mais dont, moi, je n'avais jamais entendu parler et j'avais dix minutes pour me préparer. Il me fallait consulter le *Larousse* pour découvrir le personnage en question, l'atlas pour le situer et apprendre quels pays entouraient le sien, puis j'avais un minimum de cinq minutes pour raconter un moment de sa vie, décrivant ses mœurs, ses coutumes tout en agrémentant mon récit de mes anecdotes et inventions personnelles.

Le personnage choisi s'appelait Karl Ditters von Dittersdorf, un compositeur autrichien dont le grand fait d'armes avait été de devenir l'ami de Gluck, avec qui il avait voyagé en Italie. J'avais donc très peu de matière. Mais, comme j'avais le droit d'inventer, je me débrouillerais. En plus, j'espérais tester mon mentor. Connaître sa résistance face aux énormités que je pouvais raconter malgré mes treize ans. J'ai concocté un petit voyage à Venise où nos deux musiciens faisaient des découvertes hautement homo-érotiques. Je n'avais aucun mérite. Je n'avais qu'à adapter quelques fantasmes que j'entretenais depuis mes onze ans et des scènes dont j'avais été témoin dans les coulisses à l'Hawaiian. J'étais moi-même parfois étonné de l'imagination dont je faisais preuve si jeune dans ce domaine. Mom m'avait déjà expliqué le phénomène de la réincarnation. Il m'arrivait ce qui était arrivé à Mozart, selon elle. Il était possible que je sois la réincarnation de Mozart, mais le piano en moins. Monsieur Tranquille était en train de me trouver de la documentation là-dessus.

Pour le moment, j'étais particulièrement fier d'avoir vu le père Sanschagrin rougir et avaler de travers quand je m'étais attardé sur la description de jeunes gondoliers à moitié nus, un soir de carnaval. Je me suis inclus dans le récit. J'ai été généreux de grandiloquence et de théâtralité.

Tout le bureau me servait de décor. Je me déplaçais comme un singe lâché lousse.

— Venise ! Plusieurs barques s'étaient réunies devant la Piazza San Marco. Sur une scène installée devant la mer, quarante torches s'enflammèrent, révélant autant de jeunes éphèbes taillés au couteau, laissant tomber leur cape pour nous faire apprécier leur nudité, le tout accompagné d'une musique presque mystique de Gluck, raison de sa présence à Venise, accompagné de Karl Ditters von Dittersdorf, qui le suivait comme un chien de poche. Les éphèbes nus se mirent à faire des incantations en les ponctuant de grands coups de bassin...

J'illustrais mon propos en faisant le même mouvement.

— ... qui ne pouvaient laisser indifférente une foule de moines, pères, frères, abbés, chanoines, clercs pontificaux, archevêques en goguette, nonce papal et pape en personne.

J'avais accompagné la liste de ces élus de Dieu par la parodie d'une masturbation rapide et nerveuse, qui changeait de rythme selon la réputation du prélat mentionné. Je m'étais arrêté, par respect, au prononcé du nom de notre saint pape, Albéric le troisième, dont je ne peux malheureusement garantir l'authenticité, l'imagination étant bien meilleure conseillère.

— Ce pape de pacotille, d'ailleurs, m'empêchait de voir la scène, n'arrêtant pas de bénir ces jeunes corps nubiles avec de grands gestes des bras, lesquels faisaient se relever les pans de cette sainte chasuble qui me masquait l'œuvre d'art. Ce spectacle avait été pensé pour célébrer la beauté, les sens et l'orgasme cosmique. L'exorcisme était assuré par le bon pape Albéric, lui-même assis, côté cour, sur un trône fait de serpents de fer qui s'entrelaçaient, se mordaient la queue et s'arrachaient la tête. L'œuvre, qui voulait dégoûter, avait plutôt excité, au grand dam du pontife, gâteux comme quinze. Sa Sainteté ne se manifestait qu'à la fin du spectacle. Elle devait, de son goupillon, bénir les sexes triomphalement érigés de ces jeunes adonis afin d'en extirper le péché.

Je m'agitais, muni d'une lampe de poche trouvée sur une étagère, bénissant à gogo des bites imaginaires, y compris celle de mon éducateur.

— Chaque sexe devait se flétrir en se vidant de son mal, avant que le pape ne se concentre sur la bite suivante.

Je m'étais gardé de la place pour un lazzi, où je personnifiais le pontife donnant des coups de goupillon sur les verges, jouant le serviteur de Dieu épuisé d'avoir autant de queues à convertir, implorant le Seigneur de le délivrer de ce pensum, s'agenouillant devant un de ces membres encore bien tendus, et l'implorer de débander, lui donnant d'une main bienheureuse de petites tapes sur le côté et parfois sur son scrotum invitant.

— La fête battait son plein, le feu d'artifice commençait à pétarader pendant que les quarante bites, le goupillon ne faisant aucun effet, étant bien gorgées du sang neuf de ces adolescents, s'érigeaient vers le ciel pour remercier le créateur. Ils seraient longs à déprogrammer. Et ce le fut. J'avais regagné ma villa, le clocher du quartier annonçait midi, mais le mal avait été vaincu; et Gluck ainsi que Karl Ditters Von Dittersdorf retourneraient en Autriche répandre la bonne nouvelle.

Fier de ma prestation, j'ai fait une longue révérence et nous avons réalisé que l'avant-midi avait filé et qu'il fallait nous sustenter. Il m'a félicité, mais sans plus; je sentais une pointe de jalousie. L'élève avait-il dépassé le maître?

Rapidement, Louis a sorti deux sandwichs d'un Tupperware et une bouteille de pouilly-fuissé 1939. On disait sa mère très riche.

Il a senti mon inquiétude et n'a bu qu'un verre. Quant à moi, j'ai refusé, en lui précisant que mon grand-père maternel était Lacordaire et que, pour lui, je serais la honte de la famille si je me mettais à boire.

Le lunch expédié, nous avons repris nos jeux, nos lectures, nos débats et l'après-midi est passé comme un éclair. Le moment le plus intéressant a été sans contredit son cours accéléré de cinéma : les chefs-d'œuvre, les grands réalisateurs. Il admirait Hitchcock et me parlait de l'influence que celui-ci avait eue sur Truffaut. Et puis, le chef-d'œuvre des chefs-d'œuvre : *Psycho*. Il l'avait vu des dizaines de fois : les cadrages étaient parfaits, les scènes d'horreur n'avaient jamais été égalées depuis et, Norman Bates, il le vénérait. Pendant qu'il m'entretenait de *Psycho,* j'ai levé la tête et j'ai aperçu un aigle prêt à m'attaquer toutes griffes sorties. Il était sur la plus haute tablette de la biblio, d'un réalisme à donner la chair de poule.

— Ah, tu admires mon aigle ! J'avais ton âge quand je l'ai empaillé moi-même. J'en suis très fier.

Vers quatre heures, il a décrété l'arrêt des réjouissances.

— J'ai une petite surprise pour toi. Ta mère t'attend-elle pour souper ?

— Mom fait du temps supplémentaire pendant l'heure du souper.

Tous les samedis de six à neuf, juste avant de se rendre au club, Mom allait dépanner madame Simone, dans le Red Light, en faisant des danses à deux piastres dans son salon. Aucun danger, c'était un policier qui était le vrai proprio. Il restait assis toutes les nuits dans les marches de son bordel de la rue Sainte-Élisabeth. Il était de jour dans la police et le reste du temps, il fricotait avec la pègre. Petit boulot insignifiant du type faire disparaître les cadavres dans la ruelle derrière la Casa Loma.

Un hiver, Mom s'était payé un manteau de fourrure avec ces extras-là.

Ravi que je sois libre pour sortir avec lui, Louis, cachant mal son jeu, était très excité.

— Alors, ce soir, tu viens avec moi au théâtre Saint-Denis : *Phèdre*, de Jean Racine, avec Edwige Feuillère.

Je connaissais. En sixième année, mademoiselle Trudel, ma prof de diction, dont j'étais le chouchou, m'avait parlé de Racine, de Molière, de Corneille et surtout d'Edwige Feuillère qui était, selon elle, la plus grande actrice de son temps. J'avais réussi à voir tous ses films qui passaient au Saint-Denis. Il fallait avoir seize ans pour entrer au cinéma dans ce temps-là mais, grâce à mon apparence et à ma passe de tramway que j'avais trafiquée, les portes s'ouvraient d'elles-mêmes.

Cette actrice-là me faisait tellement brailler, surtout quand ça allait mal avec Jean Marais dans *L'Aigle à deux têtes*, de Jean Cocteau.

Avec toutes les larmes que je versais pendant les drames héroïques et tragiques qu'elle vivait, j'aurais pu remplir un grand seau à charbon à chacune de mes visites au Saint-Denis. J'éclatais en sanglots chaque fois que, dans les moments les plus dramatiques, sa voix de Française se mettait à vibrer en passant par le nez pour bifurquer vers la gorge, avant de sortir par la bouche et de se répandre jusqu'au fond du troisième balcon, comme si elle avait eu un haut-parleur greffé sur les cordes vocales. Au théâtre, une de ses grandes qualités d'actrice, sa marque de commerce en quelque sorte : elle mourait toujours de la même façon. *Phèdre, La Dame aux camélias,* même combat. Juste avant son dernier soupir, elle se mettait à marcher vers le public et, après avoir ouvert les yeux assez grands pour qu'on comprenne qu'elle ne filait pas, elle s'écroulait carré sur le bord de la scène, raide morte. Moi, du troisième balcon, j'étais très impressionné ; pas autant cependant que la grosse madame dans la première rangée qui avait failli faire une syncope. Ils l'avaient sortie sur un brancard, mais c'était déjà les saluts, elle n'avait rien raté.

Ce qui me transportait le plus, c'était la lumière, les éclairages qui changeaient quand la nuit arrivait. Un petit spot qui projetait un grand rond jaunâtre sur le mur quand on allumait une chandelle. Il ne servait pas uniquement à ça. Parfois, la grande Edwige venait se placer sur le bord du tapis, toute la pièce devenait sombre et seul son visage s'éclairait. J'avais compris et je me préparais :

chaque fois qu'elle était éclairée de cette façon, sa voix se mettait à vibrer et, moi, je me mettais à renifler.

Tout ce que j'avais vu comme éclairage à ce moment-là, c'étaient les deux spots qui éclairaient Mom quand elle dansait à l'Hawaiian. Un blanc. Un rouge. Mom m'avait permis de la regarder des coulisses le soir de mes douze ans.

Monsieur Libovitch, son boss, m'avait expliqué en long et en large que les deux spots étaient aussi importants l'un que l'autre : le spot rouge représentait la sensualité, et le blanc, la pureté.

Il disait faire de la mise en scène quand il indiquait à une danseuse de rentrer par la coulisse gauche. Il se disait aussi comédien : à la fin de la soirée, il allait se concentrer dans un coin et prenait de profondes respirations en faisant des « mimimimimi » de chanteur d'opéra, avant de se retourner et de crier :

— *Last call !*

Quand une marcheuse venait le rencontrer et qu'il l'engageait, il se disait grand dénicheur de talents.

J'aimais beaucoup ce monsieur. Il était à Montréal depuis 1937. Il s'était installé ici pour mettre de l'argent de côté et faire venir toute sa famille d'Allemagne. Ils étaient juifs.

Mais il avait pris notre façon de parler le temps de le dire et avait ouvert un club de marcheuses dans un trou sordide de la rue Craig. Il y avait les marcheuses et les danseuses : les marcheuses marchaient au rythme de la musique ; et les danseuses étaient des marcheuses qui avaient suivi deux cours de danse chez Rosita & Dino. En deux ans, notre Canadien d'adoption avait réussi à amasser assez d'argent pour réaliser son projet de rapatrier sa famille, mais sa famille ne répondait plus à ses lettres. Nous étions rendus en 1955 et, malgré l'évidence, il continuait à la chercher.

En 1946, il était retourné faire le tour de son ancien coin de pays pour découvrir la vérité. Il n'y avait plus un juif dans le décor et les Allemands de souche qui habitaient le quartier et qu'il avait côtoyés toute sa vie avaient fait semblant de ne pas le reconnaître, lui jurant qu'aucune famille Libovitch n'avait habité les environs.

À son retour, il s'était mis à gâter les marcheuses, qu'il appelait sa nouvelle famille. Jamais marcheuses n'avaient été aussi bien traitées.

Ce soir-là de mon douzième anniversaire, alors que je venais de souffler les chandelles de mon gâteau, entre deux shows, il m'avait pris dans un coin pour me parler de Mom :

— La première fois que j'ai vu ta mère, c'était chez Grimaldi. Elle donnait des cours de split à la Poune dans un sketch où Rose voulait devenir danseuse classique. La seule autre danseuse qui m'avait impressionné, c'était à Cuba. La fille faisait disparaître des oranges en faisant le grand écart. Je voulais ce numéro-là dans mon club. Mais sans les oranges. J'voulais quand même pas choquer mes clients curés. Après la revue, je suis allé voir ta mère pour l'inviter à travailler chez nous. Elle a dit oui tout de suite. Elle rêvait d'un frigidaire et, en plus, j'avais promis d'être souple avec tous ses horaires. Je l'ai toujours respectée. J'y ai même donné une grosse semaine de congé quand elle a accouché de toi.

Ces souvenirs m'avaient mené loin d'Edwige et de ses reines tourmentées.

Quand je suis sorti du théâtre Saint-Denis, j'étais comme sur un nuage. Mon curé ne parlait pas, moi non plus, mais j'avais le sourire étampé dans la face et je nageais dans un long arc-en-ciel qui me précédait comme un chemin menant vers la gloire. Je me suis senti tiré hors de la foule et nous nous sommes engagés dans une ruelle qui longeait le théâtre. Je me suis retrouvé sous un escalier de sauvetage en train de me faire embrasser et caresser. C'était plus délicat que la première fois. Probablement parce que c'est moi qui avais provoqué ce deuxième rapprochement.

Le dimanche, je me suis rendu à la sacristie sans trop savoir ce qui m'attendait. Je n'étais pas un très bon servant de messe, mais j'allais vite comprendre que c'était de la dernière importance. Il m'a fait remplir le calice je ne sais plus combien de fois. Il avait décidé de recycler son pouilly-fuissé. Il n'arrêtait pas d'ajouter des prières pour en avoir plus. Ça n'a pas pris goût de tinette avant que je comprenne son degré d'alcoolisme.

Rendu à l'*Ite missa est,* il m'a sauté dessus en m'arrachant mon surplis et m'a poussé violemment contre le mur en m'ordonnant d'enlever chemise et pantalon. J'étais fort et j'aurais pu facilement le maîtriser, mais je suis resté cloué sur place, incrédule. Je voyais bien que quelque chose n'allait pas et je ressentais le besoin de l'aider. Je commençais à trop le respecter pour ne pas essayer de le calmer.

J'ai réfléchi trop longtemps. Il s'est de nouveau jeté sur moi pour faire lui-même ce qu'il m'avait ordonné. Il a commencé par la chemise. Je l'ai aidé même, pour éviter qu'il ne devienne plus violent. Je me suis enfin retrouvé nu comme toutes les statues qui devaient le faire bander. Il semblait moins saoul tout à coup. Il est allé vers le phonographe pour y mettre un disque de musique sacrée, puis a pris soin de verrouiller les portes de la sacristie. Derrière moi, il y avait une sorte de cagibi; il en a ouvert la porte, et une lueur bleutée m'auréolait tout le corps. La lumière d'un plafonnier, presque au-dessus de ma tête, se répandait sur moi et donnait du relief à chacun de mes muscles. Louis est venu s'asseoir dans son fauteuil, qu'il avait installé cinq pieds devant moi.

— Il faut m'excuser, je ne veux pas te faire de mal, je veux simplement rendre hommage à la plus belle créature que Dieu ait mise sur la terre. La perfection de ton corps, cette courbe de tes reins, tes longs bras veinés comme celle du David, ces jambes fortes et droites qui pourraient avoir été sculptées par le plus grand, tout cela demande que l'on t'oigne.

Je me demandais vraiment ce qu'il s'apprêtait à me faire. Il s'est dirigé vers une commode d'où il a sorti une bouteille d'huile de saint Joseph. Cette dernière, très prisée à l'époque, avait la réputation d'être miraculeuse. Lentement, il a laissé l'huile couler sur mon corps, en veillant à ce qu'aucun coin n'en soit privé. Il massait, pétrissait, caressait. J'étais toujours debout et ce n'étaient pas ma nudité et mon érection qui me dérangeaient. J'avais été élevé dans un milieu où la nudité était plutôt la norme.

— T'es tellement beau, mon p'tit crisse, que ce serait un péché de pas en faire profiter les autres! m'avait un jour lancé ma mère alors que je traversais la grande pièce dans le plus simple appareil.

Non, ce qui m'inquiétait, c'était l'étrange regard qu'il avait. Je sentais la rage resurgir.

En effet, il s'est brutalement retourné pour aller briser le disque, enfoncer son poing dans une rangée de livres et se jeter à genoux pour implorer le Seigneur.

Soudain, d'étranges picotements m'envahissaient les jambes et, comme la fois précédente, j'étais entraîné dans une spirale de couleurs et j'entendais des clameurs autour de moi. J'étais nu, mais plus grand, la peau scintillante comme si on y avait accroché des perles. Je tourbillonnais dans une brume épaisse, Mom courait et agitait une baguette de chef d'orchestre tout autour de moi. Le brouillard enfin se dissipait et des milliers de personnes apparaissaient, vénérant mon sexe qui n'en finissait plus de devenir énorme; et je me faisais un malin plaisir de l'offrir tout humide et répandant une sève parsemée d'éclats de verre scintillant, à des vieillards cacochymes qui tentaient d'entrouvrir leur gueule dégoûtante de désir. Je prenais alors bien soin de la retirer de leur vue et d'aller l'engouffrer dans le cul d'un jeune éphèbe de passage qui n'attendait que mon bon plaisir.

Tout est revenu à la normale très vite et j'étais dans la même position, tout avait repris des proportions plus habituelles, et je ne ressentais aucune peur. J'étais devenu un superhéros. J'avais la certitude maintenant que rien ne saurait me détruire. Je résisterais à tout. Sauf au péché. Je croyais dur comme fer que le péché était le seul remède pour le ramener à la raison. Lui offrir mon sexe ne ferait que le calmer.

Il respirait lourdement, agenouillé parmi les éclats de disque. Je me suis approché de lui pour appuyer mes mains sur ses épaules. Il s'est retourné brusquement pour encercler mes cuisses et y poser la tête. Ma verge à demi bandée mais lourde et demandant à être soupesée en attendant qu'elle se redresse, lui a frôlé la joue. Je croyais qu'il allait sauter sur l'occasion, mais ce n'est qu'à moi que cela a fait quelque chose; et ma pine est redevenue raide comme une hallebarde.

Pendant que je m'excitais inutilement, il sanglotait comme un enfant. J'ai remis à plus tard mes idées de conquête et me suis age-nouillé en reculant sa tête entre mes mains, lui jetant un regard affectueux pour le rassurer.

— Qu'est-ce qui ne va pas?

— Est-ce que tu sais que tu es si beau que c'en devient infernal?

— C'est ce que Mom me dit et je fais confiance à ma mère.

— Quand tu te masturbes, le fais-tu devant un miroir?

— Oui.

— Si Dieu t'a fait si beau, c'est pour que tu partages.

Je croyais entendre ma mère.

— Est-ce que je pourrais être ton miroir aujourd'hui?

— Vous devrez d'abord me faire un massage.

J'ai eu une pensée tendre pour Riendeau: je devais recevoir mon premier massage pendant les grandes vacances qui arrivaient à grands pas. Mais il saurait me pardonner. J'étais dans l'impossibilité d'ignorer la demande de Louis; je sentais trop le besoin de parfaire, le plus rapidement possible, mon éducation sexuelle.

Le lendemain, je me suis réveillé dans mon lit, heureux et fier de moi : j'avais sauvé une vie, j'en étais persuadé. Mais ce n'était qu'un début.

Nous avions décidé de prendre congé en ce lundi de la fin mai. La seule chose que j'avais à faire de toute ma journée : trouver quelle maladie m'avait retenu à la maison. Mom était experte en la matière. Depuis mon entrée au collège, le dictionnaire médical qu'elle traînait partout, étant une hypocondriaque accomplie, avait servi quinze fois plutôt qu'une à justifier mes absences ; et j'avais fini par semer le doute chez Liche-Bobettes qui, malgré son intelligence limitée, commençait à avoir des soupçons. Il essayait de n'en rien laisser paraître. Il craquait devant ma tête d'ange pervers à l'italienne et continuait à espérer mes faveurs.

Mom se faisait un point d'honneur de me trouver une nouvelle maladie chaque fois que je manifestais le désir de m'absenter de mon *alma mater,* mais elle lisait son dictionnaire en diagonale et souvent mélangeait les symptômes.

Un jour que je me présentais devant Liche-Bobettes avec un billet, après l'avoir lu et découvert la raison de mon absence, il m'a conseillé amicalement :

— Mon pauvre enfant, vous devriez retourner chez vous. Vous êtes mort depuis plus de vingt-quatre heures.

Je me faisais tellement chier au collège que je prenais parfois ces congés pour aller me ressourcer. J'arrivais à la librairie, monsieur Tranquille m'installait dans l'arrière-boutique avec une pile de livres et je découvrais le monde. J'allais aussi visiter des musées et des galeries à la recherche de Borduas, Riopelle et tous les autres grands peintres : monsieur Tranquille m'avait expliqué *Le Refus global* en long et en large et j'allais admirer les toiles de ces gens qui avaient ouvert la voie. Après, j'allais souper au American Spaghetti House, à deux pas de la Casa Loma. C'est là que Mom m'a présenté monsieur Cotroni. Un des hommes les plus influents de Montréal, m'a-t-elle prévenu.

Chaque fois qu'elle m'y amenait, c'était la fête. On se faisait servir un gros spaghetti boulettes de viande et ma mère me racontait des anecdotes sur la pègre. Elle avait déjà dansé à la Casa Loma, qui faisait partie de ces clubs se voulant chics. Un soir, pendant le troisième show, Mom, qui dansait plus classy dans ces endroits-là, avait été obligée (sur un signe affolé de monsieur Cobetto, le gérant) de faire sa cochonne au max pour garder toute l'attention des derniers couche-tard. Un client venait de se faire charcuter dans les toilettes des hommes. Mom s'était bougée comme jamais, pendant qu'on sortait le corps ensanglanté de la victime, un énorme caïd, et que les policiers venaient cueillir le coupable, couvert de sang lui aussi. Les clients n'avaient rien vu. Mom avait gardé l'affiche une deuxième semaine, cachet double.

Pour que ces journées de congé m'aident à parfaire ma culture, une fois le pèlerinage accompli, je traînais dans le quartier. J'avais repéré une arrière-boutique rue Saint-Laurent où je pouvais trouver des photos pornos. Je ne passais pas inaperçu. Même les colonnes du magasin durcissaient sur mon passage.

Mais je gardais ce qui me restait de virginité pour mon curé. Il fallait que je continue à lui sauver la vie.

Un peu plus tard, je me mettais en route pour l'Échourie, le temple de l'existentialisme.

Des soirées entières à écouter le sculpteur Vaillancourt gueuler contre le système. Des poètes saouls déclamant à tue-tête leur dernier poème. Janou Saint-Denis qui maternait tous ces beaux fous. Moi, je buvais leurs paroles et je gobais tout. Je n'avais encore aucun esprit critique : je voulais apprendre. N'importe quelle élucubration qui naissait de la passion me nourrissait et j'emmagasinais. Je ferais le tri plus tard.

Après ces journées bien remplies, puant le vieux tabac français, j'allais rejoindre Mom au club pour lui raconter mes dernières découvertes, espérant que monsieur Libovitch continue à me raconter sa vie de juif errant.

Je suis retourné à l'externat le mardi. Il était en soutane et col romain, nous allions travailler. Je comprenais que ce serait dorénavant le code. Col romain : les mathématiques seraient au programme, les examens arrivant à grands pas.

Je l'entendais jongler avec les chiffres et je savais que cette matière ne m'intéresserait jamais. Je voyais ces chiffres danser devant moi et j'imaginais des scénarios de plus en plus érotiques pour nos prochaines rencontres. Lui, pendant ce temps, articulait des formules d'algèbre que je n'entendais même pas. Il s'énervait de plus en plus, essayant de me faire partager sa passion pour les mathématiques.

Je ne rêvais plus que de sodomie. La lecture du marquis de Sade (j'en étais rendu là chez Tranquille) commençait à produire son effet pervers. À croire que l'index était une bonne chose pour empêcher un gars de treize ans de rêver cul vingt-quatre heures sur vingt-quatre. Cette pratique ferait de moi un « sodomite », un vocable que je trouvais élégant, et je paniquais à l'idée que je pourrais ne pas aimer ça. J'assumais, grâce à mes lectures, que ce serait un élément important de ma vie sexuelle. Me faire défoncer. Faire pénétrer le savoir par le cul. Qu'il s'infiltre partout dans mes chairs avant d'aller nourrir mon cerveau.

J'étais convaincu d'une autre chose : jamais je ne pourrais désirer une femme. Je n'étais attiré que par ma propre beauté. Je n'avais pas choisi le bon endroit pour étudier et apprendre trop tôt que je faisais mouiller à la ronde. Trois serviteurs de Dieu me pourchassaient depuis mon arrivée au collège. Julien d'Essanges, des belles-lettres, n'était qu'un succédané pour le père Blondin. Ce dernier ne cessait de voleter autour de moi. Il était énorme, mais essayait de s'alléger. Il devenait primesautier quand il voulait séduire. C'était le plus efféminé de nos révérends pères. Nous l'avions surnommé tout simplement « madame Blondin ». Liche-Bobettes s'était essayé lui aussi et, cette fois, je m'étais servi de ma force, mais il avait aimé. Depuis, j'avais droit à ses sourires dégoulinants et à ses passe-droits évidents. Parfois, à l'étude, il venait simplement se pencher derrière moi pour vérifier mes travaux. Je n'entendais que sa respiration haletante et le bruit de sa main frottant son sexe par-dessus la serge noire de sa soutane.

Un bruit sourd m'a sorti de ma rêverie. Louis Sanschagrin venait d'abattre son poing sur le bureau. Je n'irais pas jusqu'à lui dire, pour m'excuser, que je rêvais de me faire défoncer, mais je sentais qu'il attendait une explication.

— Qu'est-ce que tu veux que je t'apprenne?

— La vie, Rimbaud, saint François d'Assise, Galilée, Magritte, Ubu, Cocteau… la sodomie.

— Tu n'es pas un peu jeune?

De ma vie, je n'entendrais ineptie plus grotesque. Sanschagrin a ajouté :

— Disons que le ciel ne m'a pas assez gâté pour que je puisse te satisfaire.

— Vous avez un cierge pascal ici, ça se sculpte. J'vais vous faire un god.

Bon enfin, je lui ai arraché un rire. Du coup, il a quitté son air sombre et est venu s'agenouiller devant moi.

— C'est pour ça que je suis entré en religion. Cacher cette incongruité dont j'ai honte.

— Vot' p'tite queue, je m'en fous! La mienne compte pour deux.

Il m'a laissé aussitôt pour aller faire les cent pas dans le fond de la pièce.

Voulant changer de sujet afin d'alléger l'atmosphère, j'ai tenté une blague :

— Vous allez en avoir, des choses à confesser!

J'ai compris que je m'étais fourvoyé. Piqué au vif par mes paroles, il a haussé le ton, agressif :

— Je ne vais plus à la confesse depuis longtemps.

Mais il est revenu se confier calmement comme si rien ne l'avait troublé :

— Ma messe est maintenant un prétexte pour vider des bouteilles et *Les Onze Mille Verges* de Guillaume Apollinaire me sert de bréviaire. J'abhorre tous les mensonges qui font loi et les têtes entiarées qui font fi de la parole de Jésus.

— Pourquoi vous quittez pas le bateau?

— J'ai promis à ma mère de devenir évêque. Ma parole est sacrée. Si j'abdiquais, elle en mourrait.

Pour sa mère, seules les prophéties de saint Malachie étaient cré-
dibles. Michel de Notre-Dame était médecin et elle n'avait aucune
confiance en la médecine moderne. De plus, elle avait en horreur ce
faussaire qui maquillait son nom en Nostradamus, preuve des mensonges qu'il pouvait colporter. Bref, le dernier pape avant la fin des
temps, selon Malachie, ne serait pas Italien. Germaine Sanschagrin
avait fait tous les calculs, relu et relu la prophétie et avait même
consulté les astres, s'étant équipée des tout derniers télescopes, qu'elle
avait installés dans son étude du grenier, et les astres avaient été for-
mels : le futur révérend Louis Sanschagrin, son fils adoré, arrivait en
tête du palmarès. Je l'apprendrais plus tard, et cela me serait confirmé
par une brave sagouine : Germaine Sanschagrin avait la potiche fêlée.
Mais, pour l'instant, mon révérend s'apprêtait à commenter la vision
de sa vénérée mère :

— Je vais te dire une chose : je ne trouverais pas l'idée bête, de devenir
le chef de ces babouins crédules. Cela me ravirait. Et j'aimerais bien devenir
celui qui se retrouverait à la tête du Vatican pour y brasser un peu de
marde.

Cette fois, c'est moi qui ai éclaté de rire. Il m'avait habitué à un
langage plus châtié.

— Je saurais comment naviguer pour me rendre au sommet.

J'allais malheureusement apprendre à n'en point douter.

J'étais à la fois incrédule et troublé. Le flash que j'avais eu dans son
bureau m'était confirmé : il deviendrait pape. Quant à madame Sanschagrin, même folle, une mère ne pouvait se tromper. Ma vision le confirmait.
Il serait pape un jour.

Est-ce que Mom avait raison quand elle me jurait que j'étais
médium ?

J'ai décidé de ramener la conversation à des choses plus terre a
terre et je lui ai demandé :

— Qu'est-ce qu'on fait samedi ?

Il a répondu sans hésiter :

— La sodomie.

Les soixante-quinze minutes étaient écoulées. Je me suis contenté
de sourire.

Les jours suivants, comme si tout avait été dit, le sujet n'a jamais été remis sur le tapis.

J'ai eu droit à de mini-conférences qu'il avait pris soin d'illustrer de dessins trouvés dans ses livres.

Il me parlait du mystère des pyramides. Il s'intéressait particulièrement aux momies et aux techniques d'embaumement. Il était persuadé que toutes ces merveilles nous venaient des extraterrestres. Il m'a raconté l'affaire de Roswell et y croyait dur comme fer. Il croyait également aux pouvoirs qui, selon lui, nous habitaient tous à des degrés divers. Nous ÉTIONS Dieu.

Un curé ésotérique! Quelle aubaine pour un jeune surdoué qui ne demandait qu'à croire en autre chose qu'en un Dieu vengeur et empêcheur de tourner en rond!

Une discussion animée l'a encouragé à aller fouiller derrière les livres de sa biblio. Il en a ressorti des articles de journaux, d'autres livres sur les fantômes, les poltergeist, les enlèvements par ces êtres venus d'une autre planète. Un autre ouvrage, plus savant celui-là (écrit par une sommité en parapsychologie) analysait et démolissait les nombreuses apparitions de la Vierge. La preuve qu'elle n'était que fantasme: elle ne se ressemblait pas d'une apparition à l'autre. Elle ne pouvait être que le produit d'une imagination psychotique, la psychose étant pour l'auteur l'état normal que nous devrions rêver d'atteindre. Les êtres humains, affirmait-il, ont des pouvoirs dont ils ne se doutent même pas. Si nous nous abandonnions à nos crises les plus sévères, cet état fragile et douloureux nous permettrait de matérialiser nos ondes négatives les plus enfouies et d'en faire des armes pour nous protéger, plutôt que des monstres qui nous dominent. Pour ce qui était des miracles, il nous faisait remarquer que personne d'entre nous n'avait vu ces malades à leur retour à la maison.

Et ce soleil qui dansait et tournoyait dans le ciel, changeant de couleur constamment et que soixante mille pèlerins avaient vu de leurs yeux vu à Fatima? Le parapsychologue proposait deux théories: il s'agissait soit d'une hallucination collective (incident assez banal, tout compte fait), soit d'un phénomène très rare où le courant médium-nique dégagé par la petite psychotique était tellement puissant qu'il avait attiré les énergies et les fluides de ces soixante mille personnes, les unissant dans un délire hallucinogène difficile à prouver.

Louis avait quelques doutes sur cet ouvrage; moi, je trouvais qu'il y avait matière à réflexion.

J'étais de plus en plus passionné par tout ce qu'il me faisait découvrir et je me suis souvenu d'une dame, rencontré chez monsieur Tranquille, qui lisait les lignes de la main. Elle m'avait expliqué la signification des lignes de cœur, de tête, de vie. Et la procédure à suivre.

J'ai su d'instinct qu'il fallait que je m'essaye sur lui. Je lui ai pris la main gauche. J'ai repéré les différentes lignes qui m'intéressaient et me parlaient et après un long moment de concentration, je faisais mes premiers pas dans le monde de la chiromancie et du surnaturel.

— Vous avez eu une enfance difficile, mais regardez cette étoile faite de toutes petites lignes entrecroisées, ici, qui touche votre ligne de vie: cela signifie une étape très importante dans votre évolution. J'y vois le rêve d'une vieille dame se concrétiser. Vous serez nommé à une très haute fonction. La chaise à porteurs vous attend.

Cette partie de mon discours était résolument de la pure invention, mais, voulant continuer sur ce sujet, ma bouche allait dire autre chose, tiendrait un autre discours inventé qui me paraissait cependant être la vérité, et ma voix allait même baisser d'un ton comme celle des plus grands charlatans. Encore une fois, j'étais transporté dans un univers particulier.

— Par contre, votre ligne de destinée ne tient pas le même discours. Si je ne consulte qu'elle, je ne vois aucun pape, mais une simple mitre déchirée, ainsi qu'une ligne enchevêtrée qui annonce de grandes épreuves.

Cela me contrariait, mais je me sentais forcé de continuer à le prévenir de grands malheurs.

— Regardez d'ailleurs votre ligne de cœur hachurée qui pointe vers votre ligne de vie, plongeant finalement dans l'imbroglio de calamités insoupçonnables.

Je lui ai jeté un coup d'œil, il était livide. J'ai senti le besoin de le rassurer.

— Laissez-vous pas impressionner. Faut pas tout croire !

— Je n'accorde aucune crédibilité à tes prémonitions, mon destin est scellé. Ce qui m'impressionne, en dehors de ta grande beauté, c'est ton intelligence remarquable, cette culture que tu possèdes déjà, ton respect de la langue, parfois, et surtout ton talent, ton imagination, ta disponibilité totale à recevoir et à te donner : je pourrais fonder en toi les plus grands espoirs.

— Hey, slackez un peu et fondez pas trop vite, je suis existentialiste. J'ferai rien dans la vie, sinon me laisser entraîner dans toutes les aventures possibles et impossibles. Et ma grande beauté, qu'elle mange d'la marde. Elle va disparaître bientôt, elle commence à me faire chier : je veux être méconnaissable. Je déteste être beau. Quand les gens s'adressent à moi, je vois ma bite au fond de leurs yeux. Ils ne sont là que pour ma queue. Ils en ont entendu parler, j'avais gagné le concours de celui qui pisse le plus loin, quand j'étais allé au camp d'été, y a trois ans. Y a des parents qui avaient porté plainte, y trouvaient que la compétition était pas équilibrée. J'ai gagné pareil. Tous les juges étaient soit des tapettes, soit des femmes ménopausées en état de manque. Si un jour ils veulent le voir pour vrai, mon cul, va falloir qu'y payent, pis cher. En attendant, je vais me péter la face sur un mur pour me casser le nez. Je vais laisser pousser tous les poils disponibles. J'vais m'en coller des touffes, s'il le faut. Je me laverai plus. Je m'inonderai de patchouli. Je veux sentir le swing et ressembler à tous mes camarades existentialistes et me fondre parmi les poètes, les sans-abris, les ratés qui crient leur détresse sur Pine Avenue et Saint Lawrence Boulevard.

Emporté par mon discours, je me suis retrouvé au milieu de la pièce brandissant un bras vengeur et je me suis arrêté dans mon élan pour lui demander sur un ton plaintif :

— Quand est-ce que vous venez avec moi à l'Échourie ?

J'ai alors fait une moue boudeuse à laquelle aucun chrétien ne pouvait résister. Quand j'utilisais cette méthode infaillible, Mom me disait toujours d'arrêter de faire mon agace.

Louis a réfléchi quelques secondes.

— Vendredi soir. Et comme, malheureusement, il nous sera impossible de nous voir samedi et dimanche, car j'ai plein de travaux en retard, pour me faire pardonner, je t'ai préparé une surprise en début de soirée vendredi, et nous irons finir notre escapade à l'Échourie.

— Avez-vous du linge moins élégant que celui que vous portiez pour *Phèdre*?

— Ne t'inquiète pas, je vais m'arranger pour que tu n'aies pas honte de moi. Sur ce, file. On se revoit demain comme d'habitude à onze heures moins dix.

Je l'ai quitté pour aller dîner. Il faudrait bien quand même que Mom m'explique quelles étaient les responsabilités d'un médium.

J'étais assis à mon pupitre de la salle d'études, face à ce Christ qui me faisait de plus en plus d'effet. Étrange. Car, avant mes premiers émois, je n'avais jamais trouvé un érotisme particulier à ce Christ beau bonhomme, la musculature à la Tom of Findland, mourant couvert d'une guipure à peine, mais signée d'un dessinateur de costumes de la SRC, ami intime de notre retraité.

J'attendais son billet depuis une quinzaine de minutes lorsque je me suis décidé à aller frapper à son bureau. Aucune réponse. J'ai tâté la poignée de la porte qui s'est entrouverte, laissant tomber un papier plié en quatre et écrit à la hâte.

Empêchement aujourd'hui. Attends-moi demain soir à 7 h au coin de Bleury et de Sainte-Catherine.

J'avais un mauvais pressentiment. Je suis retourné à la maison, espérant que Mom soit debout : j'avais besoin de réconfort.

Mais à peine avais-je passé le pas de la porte qu'elle me sautait dessus et me faisait asseoir confortablement dans notre unique fauteuil pour me livrer son discours :

— J'ai une bonne ou mauvaise nouvelle à t'annoncer. Ce sera ton choix. Je me suis fourrée dans mes papiers. T'as pas treize ans, t'en as quinze.

Si j'avais reçu un coup de masse sur la tête, je me serais senti moins déstabilisé.

— Figure-toi donc, mon homme, que j'ai mis deux ans avant de me décider à te faire baptiser, pis l'épais de curé qui a rédigé ton baptistaire a inscrit la date de ton baptême comme date de ta naissance. T'es pas né en 42, mais en 40. Avoue qu'il fallait qu'y soit épais rare. T'avais deux ans, sacrament, quand il a essayé de te noyer avec sa burette. Tu mesurais déjà trois pieds et demi, ça m'aurait pris toute une césarienne pour accoucher ! J'ai pas fait attention à ça, pis j'ai rangé le papier.

Quelques années plus tard, tu m'as demandé ton âge. Je l'savais-tu, moi? J'avais jamais fêté ta fête, comme j'ai jamais voulu qu'on souligne la mienne. Pour moi, l'âge, tant que tu le sais pas, tu vieillis pas. Not' fête, c'est pas une année de plus, c'est une année de moins, bâtard. Ce qui fait que, de bonne foi, je t'ai répondu n'importe quoi. C'est Manda à matin qui m'a sorti ça. Elle notait tout pendant nos tournées. C'est à l'automne de 1939 qu'on est allés à Burlington, pas en 41. Ça fait que t'es né en 40. Ce qui fait que je te présente mes plus plates excuses. T'as pas éjaculé la première fois à douze ans, mais à quatorze ans. Chuis assez déçue. J'ai fait un enfant normal. J'pensais que t'étais avancé pour ton âge. Mozart, y avait juste quatre ans pour vrai quand y a écrit sa première symphonie.

Cette femme était impayable. Où avait-elle pris cette morale élastique? Son père, Lacordaire et chevalier de Colomb ascendant béret blanc, ne lui avait certainement pas inculqué une telle permissivité; quant à sa mère, elle était morte en couches. Mom avait été incapable de supporter ce père mangeux de balustre.

Donc, j'avais quinze ans et non treize. Raison de plus pour tout lui révéler de ma vie de patachon. Je crois qu'elle a senti que c'était le bon moment et m'a demandé:

— T'as pas des petites aventures juteuses à me raconter? La journée semble propice aux confidences.

Je ne redoutais pas sa réaction quant à la perte imminente de ma virginité entamée. Seul un détail me taraudait. J'ai quand même pris la décision de plonger:

— Mom, j'ai plein de questions à te poser. Je dors plus la nuit, je pense toujours à quelqu'un que j'ai rencontré au collège.

— J'espère que c'est pas le grand vicieux à Riendeau, y a tellement pas une bonne diction.

— Non, il est plus vieux que ça, c'est un... heu... un... très cultivé, je pense à lui toutes les nuits, je suis incapable d'étudier, je le vois partout, à chaque page que je tourne, j'imagine plein de scénarios où je nous vois en voyage de noces autour du monde. J'ai même fait un rêve ben cochon, où il me faisait l'amour dans un confessionnal de Saint-Pierre-de-Rome.

Mom semblait ravie et émoustillée du type de confidences que j'avais décidé de lui faire.

— Ça, c'est sharp! Moi, le plus loin que j'ai essayé, c'est dans une sacristie du temple Our Virgin Mary, à Burlington justement. Y a pas de confessionnal dans la religion américaine... Bon, revenons à nos cochons. Tu rêves au même gars toutes les nuits, tu penses à lui toute la journée, pis en plus, à cause de lui, tu fais des *wet dreams* dans des endroits sacrés?

Se penchant sur moi, haussant le timbre de sa voix, elle m'a dit en articulant bien et en me pinçant les joues comme à un bébé de six mois:

— Mais y est en amour, le p'tit pounch!

Et elle s'est relevée brusquement en me pointant du doigt.

— C'est ta vie privée, mon homme, et je respecte ça. Mais j'vais te donner un conseil de mère: crois pas toutes ses belles promesses, parce qu'un jour, y va te dropper comme une vieille chaussette. Baise-le, laisse-toi baiser, mais fais-lui pas confiance. Pis même si tu l'aimes, fais-toi payer pareil. J'te conseillerai pour les tarifs. Crois-moi, les hommes, c'est tout' des trous d'cul patentés.

Elle a amorcé son départ, croyant que mes confidences étaient terminées. Je l'ai arrêtée dans son élan en lui lançant une courte phrase toute simple:

— Mom, c'est un curé.

Je savais qu'elle n'aimait pas trop cette engeance, mais j'ai été étonné de la réaction d'une femme aussi libérée.

— De kossé?! Ah ben, tabarnak, moi qui rêvais d'avoir un gendre que je respecterais. J'les haïs tellement, ces câlices-là! Gang d'hostie de pognés qui essayent de t'empêcher de faire ce qu'eux autres font cachés en arrière des autels. Les saints ciboires, y sont trop lâches pour faire des enfants, ça fait qu'y obligent leurs paroissiennes à en faire vingt-cinq pour alimenter leur fonds de commerce. Qu'est-ce que tu veux, sacrament? Ça leu' prend des nouveaux enfants de chœur, si y veulent continuer à enculer de la chair fraîche. Toi, c'est pas grave, t'étais né pour fourrer. T'as toujours eu le mot «cul» étampé dans face. En plus, t'étais moumoune t'avais pas cinq ans et t'as commencé à confectionner des robes pour tes petites voisines à six. Heureusement pour toi, t'as eu la chance de te faire éduquer par une mère équilibrée. Mais les autres, ceux qui ont des parents pognés, imagine comment y se sentent quand y s'font mettre pour la première fois. Ça les mêle, ils culpabilisent, pis y baisent tout croche jusqu'à la fin de leurs jours. Pourquoi tu penses que la plupart des femmes atteignent pas l'orgasme? Ça nous prendrait un clitoris de six pouces pour avoir du fun, viarge! C'est pas de leur faute, ces pauvres enfants, la première chose qu'y voient dans la vie, c'est des queues de six pouces ben bandées, pis c'est tellement beau que le clitoris tient pus la route. Un psy pourrait te le dire. En tout cas, c'est mon idée et j'en démordrai pas: toute ta vie, tu restes accroché à ton premier feeling. Straight pas straight, quand t'as eu une queue pour le moins spectaculaire comme apéritif, toute ta vie, t'en recherches d'autres comme plat principal. Bon, c'est dit. Quant à toi, t'as même pas à tenir compte de ce que je viens de dire. C'est ton choix qui compte, j'ai pas de conseil à te donner. T'es majeur!

— J'suis pas majeur, j'ai quinze ans.

— T'es majeur le jour où tu viens pour la première fois.

Elle s'est engouffrée dans sa chambre sans que je puisse lui en révéler plus. Elle ratait des détails plus salaces qui l'auraient ravie.

Planté sous un réverbère, au coin de Bleury et de Sainte-Catherine, j'attendais depuis à peine cinq minutes lorsque je l'ai vu arriver, une perruque en broussaille sur la tête et les épaules recouvertes d'un poncho aux couleurs criardes.

Il m'a salué d'une courbette en pointant un doigt vers sa perruque pour me la présenter.

— Dans un des coffres des accessoires de théâtre.

Et levant les bras pour étaler son poncho :

— Voyage au Mexique avec ma mère il y a deux ans.

Il s'est approché de moi pour me remettre une paire de verres fumés.

— Excuse-moi, je n'ai pas trouvé de canne blanche, alors tu mets ces lunettes, tu fermes les yeux et tu lèves la tête en ayant l'air de chercher partout, comme si tu étais aveugle, et je te conduis dans mon endroit secret.

Il m'a tendu deux boules de ouate que j'ai dû mettre dans mes oreilles.

À peine dix minutes plus tard, nous entrions quelque part et descendions des marches. Nous avons, ensuite, suivi une légère pente descendante et il m'a poussé dans une autre allée plus étroite où il m'a fait asseoir dans un fauteuil. Il m'a enlevé les boules de ouate ; j'entendais une vague musique orientale. Il m'a enlevé également les lunettes et m'a confirmé que je pouvais enfin ouvrir les yeux. Nous étions dans le noir, et la musique orientale s'amplifiait pendant que s'inscrivait sur un écran, en lettres dorées : *The Son of Sinbad*. Je me suis mis à trembler de tous mes membres en voyant apparaître : *with Lili St. Cyr*.

Une joie intense m'a envahi et je me suis littéralement jeté sur lui pour l'embrasser. Il m'a repoussé délicatement, Lili venait d'apparaître sur l'écran. Elle resplendissait. Je comprenais pourquoi Marilyn Monroe en avait fait son idole. Il est évident que, dans une production hollywoodienne des années 1950, elle n'était jamais entièrement nue, mais son pouvoir de séduction n'en était que plus fort. Et ses jambes! Mom avait raison: elle avait les jambes accrochées au milieu du dos.

Le film, par contre, était à chier. Mais nous l'avons quand même regardé deux fois, afin de mieux deviner, sous la robe transparente, ses seins fermes qui pointaient haut malgré ses trente-sept ans. J'avais encore peu d'expérience en seins de femmes, car beaucoup de marcheuses que je voyais à l'Hawaiian et qui avaient à peine trente ans arboraient des poitrines lourdes et tombantes qui n'avaient jamais provoqué chez moi le moindre désir.

Avec Lili, il en était tout autrement. Elle me faisait bander comme un cerf, allant jusqu'à provoquer la jalousie de mon futur prince de l'Église. Il est venu vérifier de sa main baladeuse l'état de mes émotions et, plutôt que d'en profiter, l'imbécile, il l'a retirée et s'est mis à bouder.

La projection s'est terminée à vingt-trois heures, juste le bon moment pour aller se perdre à l'Échourie. Le boudage s'étant terminé assez vite, nous avons presque couru en remontant la rue de Bleury pour aller tourner à droite sur l'avenue des Pins.

Étrangement, il y avait une queue devant la porte et je suis allé aux renseignements: Janou Saint-Denis avait organisé un grand récital de poésie. Ce qui signifiait deux heures de silence pour un couple qui apprenait à se connaître. J'étais déçu pour Louis, mais lui semblait ravi. Il a sorti de sa poche un médaillon de bronze auquel pendait une clé. Il a déposé l'objet dans ma main. Sur le médaillon était gravé «Hôtel Windsor chambre 828». Je lui ai jeté un regard équivoque en affirmant:

— Je sens que ça va être ma fête!

Il a semblé gêné par ma réaction.

En entrant, j'étais tellement impressionné par le luxe de cette chambre qu'il a deviné la pensée qui me traversait l'esprit.

— C'est un cadeau de ma mère. Je l'ai vue lundi. Elle me trouvait cerné et m'a ordonné d'aller me reposer loin de la communauté. Et quand ma mère offre un cadeau, il est inutile, même, d'essayer de refuser.

Le bellboy attendait toujours devant la porte. Louis lui a refilé un généreux pourboire d'une piastre.

Le garçon lui a offert de lui monter des boissons alcooliques.

— Voulez-vous que j'vous monte du fort?

Louis a refusé et doucement refermé la porte. Il a fait le tour de la suite, éteignant certaines lampes, en couvrant d'autres d'une serviette, en en couchant même par terre pour créer des courants lumineux sur le tapis. Il a ouvert toutes les tentures. En plus, il était exhibitionniste, j'aimais bien. Je regardais l'atmosphère qu'il avait créée et j'étais prêt à essayer n'importe quoi, tellement c'était sexy et invitant. J'avais les yeux grands comme des cinquante cents. Soudain, j'ai senti sa présence me chuchotant à l'oreille :

— Je ne bois plus. C'est la raison pour laquelle je vais bientôt partir pour quelques jours. J'entreprends une thérapie.

Je l'ai encerclé de mes bras, l'embrassant partout. S'il posait ce geste, c'est qu'il m'aimait, et cela concrétisait le rêve de grand amour que j'espérais vivre, au fond. L'existentialisme attendrait. Rapidement une inconnue nommée passion s'immisçait entre nous sans prévenir. Nous n'avions plus assez de mains. Les vêtements disparaissaient à un rythme indécent. Nos langues apprenaient à se connaître avec une telle violence qu'il était impossible de savoir laquelle était laquelle. Elles s'entremêlaient pendant que nous nous arrachions le peu qui nous restait sur le dos. Les bobettes, derniers remparts de nos vertus, y passèrent elles aussi.

Nous ne parlions plus et ne parlerions plus jusqu'au lever du soleil. Nos corps n'avaient plus besoin de nous. Ils se comportaient comme larrons en foire, faisant fi de toute morale. J'en perdais des bouts. Nous nous sommes retrouvés dans le grand bain qui disparaissait sous les bulles de savon. Nous y sommes restés des heures, apprenant toutes les parties de nos corps. J'allais de surprise en surprise. Son corps dur aux muscles nerveux et longs m'excitait terriblement. Sa bite, d'ailleurs, n'était pas si petite. Je l'ai rassuré en inventant que de nombreuses fellations étaient le remède miracle pour faire grossir ce bijou qu'il n'avait jamais masturbé et je lui avais rappelé le fameux dicton de Mom: «Petite mais travailleuse.»

Il a eu besoin de ses deux mains l'une au-dessus de l'autre pour emprisonner mon sexe qui n'avait jamais été aussi volumineux. Après en avoir évalué la longueur, il n'était pas au bout de ses surprises. Essayant de l'entourer fermement pour le porter vers sa bouche, ses mains se refermaient à peine.

Avant qu'il ne se mette à se faire des complexes, je lui ai demandé de se lever et de se retourner pour que j'admire son cul. Il m'a alors présenté une paire de fesses bombées, bien rondes et invitantes, sachant d'instinct comment me les offrir. Je n'ai pas mis grand temps à y plonger la langue et j'ai vite compris que je venais de repérer une zone érogène qu'il ne soupçonnait même pas. Il retenait des râles qui ne tarderaient pas à se moquer des voisins. Il était tellement excité que son petit pénis semblait avoir pris de la verge.

Il m'a promptement sorti du bain en me prenant dans ses bras pour aller me jeter sur le lit, la face contre le matelas. Il voulait expérimenter sur moi ce que je venais de lui faire découvrir. J'étais gâté. Il manifestait un talent exceptionnel. Sa langue souple et curieuse savait lubrifier le terrain pour y enfoncer son sexe. Cela n'a pas tardé. En deux temps trois mouvements, il m'a fait cambrer les reins et a réussi à me pénétrer sans trop de douleur. C'est moi qui me suis mis à râler à en réveiller tout l'étage. J'étais si reconnaissant, je devenais sodomite et je ne savais plus quoi inventer comme cris pour lui signifier mon plaisir. Bichette voulait éclater (c'est le nom que Mom avait donné à mon pénis) et, malgré tous les manèges que je tentais pour retarder ce qui serait la plus grosse explosion de ma courte vie, je sentais monter, dans le grand et long tunnel, une armée de spermatozoïdes qui se bousculaient, tellement ils étaient nombreux, et qui allaient se pointer le fusil à la main, d'une seconde à l'autre, pour envahir le territoire. À mesure que leur sortie se précisait — j'avais déjà commencé à entendre le rire du vainqueur —, je me suis mis à pousser le grand cri final et j'ai entendu mon partenaire en faire autant. Notre timing était parfait. L'harmonie entre nos libidos était vouée à la réussite.

Mon sperme s'est répandu sur la tête de lit, le mur, les oreillers; même une photo de la jeune reine britannique récemment couronnée a été polluée. Les respirations ont repris leur rythme normal et il s'est retiré, comblé lui aussi. Nous nous sommes écroulés sur le lit, pris d'un fou rire de satisfaction qui a duré une bonne quinzaine de minutes, après quoi nous étions prêts à recommencer.

La deuxième fois, il m'a appris à apprécier de nouvelles positions, de nouvelles caresses, qui décuplaient les sensations fortes et nous transportaient au septième ciel. Il connaissait le *Kâmasûtra* par cœur et n'avait jamais pensé pouvoir s'en servir un jour. Il en a abusé.

La quatrième et la cinquième fois, nous nous sommes appliqués à réviser le tout, pour finir sous la douche au moment où le soleil s'apprêtait à mettre un terme aux réjouissances.

Il fallait qu'il parte. Il devait se préparer pour aller je ne savais où, entamer sa cure. Un malaise soudain m'a envahi et j'avais hâte de rentrer à la maison pour tout raconter à Mom.

J'en profiterais ensuite pour essayer de la convaincre que c'était un prêtre ésotérique, et je la mettrais K.O. quand je lui dirais qu'il n'avait fait ce choix que pour faire plaisir à sa mère.

Il fallait aussi que je la mette au courant que ma virginité totale venait de s'envoler vers l'éternité, mais il y avait une chose que je ne savais pas: je serais plus de dix ans sans le revoir.

Je suis rentré à la maison très tôt. Mom dormait tard le samedi. Le vendredi était toujours très rude au club. C'était soir de paye et de drames. Les plus démunis du quartier étaient les premiers à venir vider leur enveloppe de paye pour s'attirer les bonnes grâces des marcheuses. Discrètement, parfois, un téton apparaissait dans la face de monsieur Shilling, vieil ouvrier irlandais au chômage qui tendait un trente sous. Un autre client plus nanti avait droit, pour cinquante sous, parfois un dollar, à une chatte humide qui venait frôler sa main. Libovitch, qui avait connu l'Allemagne nazie, tremblait dès qu'un policier rôdait près du bar. Il vérifiait constamment les allées et venues des filles, leur bonne tenue. Mais était-il naïf ou indulgent, quand il se passait des cochonneries sous une table, comme par hasard, il inspectait toujours le mauvais côté de la salle. Il avait joué gros en engageant une jeune Chinoise mineure, sans papiers, et qui en plus, pour cinquante sous, faisait des pompiers sous les tables.

Et il y avait les petits comiques. Un soir, à la suite d'une gageure entre soûlons, un épais de première a posé son long sexe mollasson sur le bord de la scène. Mom a amorcé, sur-le-champ, un flamenco et la steppette finale s'est posée avec vigueur sur la bite molle du monsieur qui a hurlé sa douleur sous les rires gras de ses compagnons de travail, lesquels se sont cotisés pour offrir un généreux pourboire à ma mère.

Il y avait toujours l'épisode de la mère décharnée qui s'amenait au club accompagnée de l'un de ses huit enfants, encore plus décharné, idéalement la couche pleine et les pleurs perçants. Elle venait se défouler, donnant des coups de poing sur la table où son mari était assis, réclamant le loyer et de l'argent pour un gros Kik Cola, des chips barbecue et des tranches de fromage bien jaune. Les enfants n'avaient encore rien mangé de la journée, fallait bien leur donner quelque chose. Le bonhomme, plus qu'éméché, lui refilait un deux dollars et en ajoutait quelques-uns pour qu'elle lui achète un sweepstake irlandais. Il paierait le loyer le mois prochain. Il n'était en retard que de quelques mois et il avait de la chance : son proprio était un ivrogne comme lui et il perdait constamment la notion du temps. Il suffisait de lui fournir quelques caisses de bière pour le saouler assez qu'il en oublie le loyer.

De plus, le vendredi, c'était le changement de personnel. Mom était la seule permanente, avec une ou deux filles par-ci par-là qui restaient un peu plus longtemps que les autres, et, chaque semaine, les agences envoyaient toutes sortes de candidates. Entendons-nous, ce n'étaient pas des auditions. Le propriétaire du club devait prendre ce qui se présentait : parfois des mineures ultra maquillées pour avoir l'air plus vieilles. C'étaient les plus faciles à repérer. Se pointait aussi, régulièrement, une danseuse enceinte de huit mois qui faisait tout pour accoucher sur scène. C'était son rêve ultime, son fantasme avoué, comme les grands acteurs qui, en donnant leur dernière réplique, rendaient leur dernier souffle. Elle ne voulait pas mourir, elle voulait juste accoucher sur scène, histoire de marquer le moment. Elle assurait que cela se produisait régulièrement dans le Bowery, à New York. Elle s'était corrigée :

— Mais bon, eux autres, y veulent mourir, pas accoucher.

C'était normal : les acteurs, d'anciennes gloires du burlesque, qui venaient faire leur dernier tour de piste dans le Bowery, avaient en général plus de soixante-dix ans. Il arrivait qu'on en perde un.

Mom devait calmer les batailles dans les loges et les vols de costumes, le dernier soir de la semaine. Elle en avait tout simplement plein le cul.

Une semaine où elle avait eu droit à tous ces problèmes le même soir, elle avait pris sa décision. Il fallait maintenant qu'elle la laisse mûrir.

Quand Mom s'est réveillée vers midi, je lui avais préparé un déjeuner gargantuesque. Je savais que c'était son seul vrai repas de la journée. Nous avons mangé pendant des heures en papotant, sans aborder aucun des sujets qui nous concernaient vraiment. Le fils gardait sa partie de jambes en l'air pour le dessert, et les conseils de la mère suivraient.

En ce samedi après-midi de la fin du mois de mai, je lui ai donné, bien malgré moi, un cours d'éducation sexuelle. Elle avait beau avoir quarante ans, il y avait des choses qu'elle ignorait — ou peut-être qu'elle n'avait jamais voulu vraiment savoir.

De mon dépucelage, je lui ai tout raconté en détail.

— T'as l'air d'avoir frappé le jackpot, mon homme, parce que Mom a mouillé comme deux, pendant que tu racontais tes... affaires de cul, là. Y a quand même certaines petites particularités que j'aimerais que tu me précises. Des spécialités qui me font mal rien qu'à y penser.

Elle semblait mal à l'aise et inquiète. Une attitude plutôt rare chez ma mère. Je n'arrivais pas à m'imaginer ce qui avait pu la déranger. Elle acceptait même la bestialité. Près des docks, au bout d'une petite rue de Montréal-Est, elle avait vu une artiste de variété qui se faisait baiser par un berger allemand.

Mom s'était approchée pour regarder le spectacle, incognito, bien décidée à prévenir la Société protectrice des animaux. Mais, finalement, elle avait décrété que le chien avait eu l'air d'aimer ça. Alors, elle avait décidé qu'à l'avenir, elle se mêlerait de ses affaires. Une fois cette mise au point faite, elle a attaqué les questions concernant mon aventure de la veille :

— T'es sûr que tu m'as tout dit ?

— Ben voyons, Mom, est-ce que j'ai l'habitude de te cacher quelque chose ?

Le premier sujet qu'elle voulait aborder venait d'une inquiétude qui la hantait depuis la narration de mon aventure. Elle a bien détaché ses mots :

— On sait jamais, un oubli. J'ai beau pas aimer les curés, j'leur veux pas de mal. Quand tu souhaites de la douleur à quelqu'un, la douleur te tombe dessus, toi avec, immanquablement. Alors, est-ce que…?

Elle s'est interrompue. Elle hésitait, mais a fini par demander:

— Comment y s'appelle déjà?

— Qui, Louis?

— Oui.

— Sanschagrin.

— Non, son prénom.

— Je viens de te le dire: Louis.

— Ben oui, t'as raison, chuis ben épaisse.

Elle a enchaîné:

— As-tu prévenu Louis que…?

— Que quoi, Mom?

— Que, dans ton cas, la nature…

— Vas-tu finir par le dire, Mom?!

— Lui as-tu rentré Bichette dans l'cul sans le prévenir?

— Ben non, Mom. Pour l'instant, elle peut juste se pointer le nez à la porte.

— Ahhhh, *thanks, God*! Depuis que tu me racontes vos fantaisies que je souffre pour lui.

Elle n'en savait pas encore assez:

— Lui, de son côté, est-ce que c'est un surdoué?

— *It's perfectly my size.*

— Qu'est-ce qui te prend de me parler en anglais?

— Si je veux réaliser ton grand rêve et aller m'installer aux États-Unis un jour, faut bien que je commence à pratiquer.

— Oublie pas d'aller saluer Lili.

— C'est la première place où je vais aller.

— Pour en revenir à nos cochons, promets-moi de jamais lui rentrer Bichette dans l'cul sans prévenir.

— À Lili?

— Non, à Louis, hostie de sacrament!

— On se calme, c'est en essayant qu'y va finir par s'habituer. À force de se faire manger le cul, y va dilater.

Elle a éclaté:

— Ça, c'est la seule affaire que chuis pas capable de m'imaginer. Manger un cul! Ben oui, je le sais, j'passe mes soirées à me le montrer.

Mais jamais je pourrais accepter qu'on me l'mange. Ç'a pas été faite pour ça, c't'orifice-là.

Et elle a terminé par une phrase bien punchée comme elle seule en avait le secret :

— C'est-tu le fun, au moins, de se prendre pour un bol de toilette ?

Elle était fière d'elle, mais quand elle a entendu mon rire, ses lèvres se sont crispées.

— Sais-tu, j'aimerais ça, qu'on change de sujet de conversation.

Avec un air de dégoût bien assumé, elle a ajouté :

— Pendant deux ou trois jours, évite donc de me donner des becs.

Ce problème réglé, la conversation n'était pas finie pour autant. Mom se devait de s'assurer, en éducatrice éclairée, qu'elle ne s'était pas gourée sur l'orientation sexuelle de son fils. Il aurait pu, étonnamment, être bisexuel ; et ça l'aurait bien arrangé, car elle s'était mis dans la tête que Lili était la meilleure personne pour me faire goûter le sexe féminin.

— Ça t'a jamais tenté d'essayer avec une femme ? C'est confortable, un vagin, tu sais... C'est pas ben ben beau, mais ça fait la job !

— Pour moi, une femme, c'est Marilyn Monroe !

— T'as son modèle à trois cent cinquante milles d'ici, pis Lili a toujours aimé ça, les petits jeunes.

— J'pourrais pas, je la trouve trop belle. Surtout ses seins. Sont comme en marbre, tellement y se tiennent bien.

La poésie est venue me visiter, brièvement :

— Son cul, son superbe cul translucide, méditerranéen, acropolien, c'est celui d'une statue dont les jambes n'ont rien à envier aux colonnes du temple d'Artémis.

— Pars-moi pas avec ta culture. J'imagine que si tu les compares aux colonnes d'Artémise, c'est parce que tu les trouves belles, ses jambes...

— J'ai jamais rien vu d'aussi beau, Mom.

— T'aurais pu me le dire plus simplement.

Elle a fait ce qu'on appelle au théâtre un *double take*.

— Coudonc toi, es-tu branché ? Avec ce que tu viens de vivre avec ton curé, tu tripes encore sur les jambes pis les seins de ma chum de fille, sais-tu ce que tu veux ?

— Pour moi, Lili, c'est un livre d'art. J'me tannerais pas de la regarder toute une journée. Ça me fait bander, mais j'oserais jamais lui venir dessus. L'avoir chez nous, je la mettrais dans un coin, éclairée par un spot, entourée de plantes vertes, pis j'l'époussetterais quatre fois par jour et l'arroserais une fois par semaine.

Mom n'a pas semblé apprécier mes idées de décoration intérieure.

— C'est-tu une idée que je me fais ou, depuis que tu sais que t'as quinze ans, t'es plus capoté que tu l'étais ?

— Non, c'est plutôt le fait que j'sois en amour qui fait ça.

Elle a pris un air grave :

— Pauv' ti-pounch, tu vas tellement souffrir !

— Oui, mais, avant de souffrir, j'vais avoir eu du fun. D'abord quand il va revenir de sa thérapie, pis j'ai plein de projets avec lui pour cet été. J'vais l'emmener courir tout nu avec moi sur les plages désertes des îles de la Madeleine. Y va s'accrocher après ma queue, pis je vais devenir cerf-volant. On va voler, on va aller péter les nuages pour se laver de toutes les niaiseries que notre sainte mère l'Église nous a enseignées.

Mon envolée a soudainement été stoppée par des picotements dans les jambes et une bouffée d'angoisse qui m'empêchait de respirer. La maudite spirale essayait de m'entraîner dans son tourbillon. Je devais résister. Je ne voulais rien apprendre de nouveau aujourd'hui. J'articulais péniblement en essayant, à chaque mot, de fuir et de reprendre mon souffle. La tempête s'est calmée, mais un sentiment de rage m'envahissait.

— Ah, les câlice de pères de la Sainte-Foi, Mom. Je sais pas pourquoi, mais je les ai jamais haïs autant qu'aujourd'hui. Pourquoi ? J'ai peur, Mom. J'suis sûr qu'y préparent quelque chose. Pis, depuis quelque temps, j'vois des histoires impossibles tournailler autour de moi et je suis certain que ça va arriver un jour.

La supplique finale était un véritable appel au secours.

— Qu'est-ce que je dois faire ? Aide-moi, Mom !

— Attends que ça arrive, on s'énervera après.

Après une légère pause où elle tentait de retrouver un certain calme, elle a ajouté :

— Mom est bien déçue. Si t'as un don en plus, mon petit sacrament, t'aurais pu t'en apercevoir avant. Je me tue à te répéter que t'es médium. C'est mademoiselle Minou, la petite voisine, qui commence, elle aussi, à voir des choses comme toi. Mais, elle, elle ferme les yeux, elle s'endort un peu, pis elle voit. Elle a pas besoin de se mettre sur le gros nerf comme toi. Elle m'a dit qu'elle a eu une vision de toi, dans toute ta splendeur d'ailleurs. Elle s'en est pas encore remise, la pauv' fille. Elle m'a fait une description détaillée, c'est une excellente voyante. Elle m'a surtout conseillé de faire attention à toi, que tu deviendrais un dangereux gourou.

Le gourou attendrait. Je me devais d'abord d'écouter mes angoisses. Il se passait des choses terribles en ce moment précis à l'Externat classique de la Sainte-Foi.

— Mom, on dirait que, mon bonheur, y me fait mal.

— Ça fait rien que commencer, mon homme.

Elle s'est levée pour se diriger vers la cuisine,

— T'écouteras les disques d'Édith Piaf. Tu vas comprendre que l'amour, c'est toujours la même maudite poutine. En attendant, quand t'iras te coucher, perds pas de temps à essayer de dormir, ça marchera pas.

Je suis arrivé au collège à la dernière minute. Je ne voulais plus rien savoir de ce jeu de cache-cache et de billets. J'irais directement à son bureau et je lui annoncerais la décision que je venais de prendre: je quittais le collège. Ce qui ne nous empêcherait pas de nous voir. Nos deux têtes trouveraient certainement une solution. Je suis passé par une porte de côté qui donnait sur un couloir menant directement à son bureau (après avoir monté quelques marches) et je suis arrivé en courant devant sa porte. Tout de suite, je me suis senti arrêté dans mon élan par une présence. En me retournant, j'ai vu d'Essanges, le protégé du gros Blondin, dans un coin du corridor. Il sanglotait et me faisait signe de m'approcher.

— Je sais que tu m'aimes pas, mais bouge pas de là, pis écoute-moi. Ils ont déplacé le père Sanschagrin. C'est le père Blondin qui m'a raconté ça. Samedi matin déjà, y avait disparu de la circulation. Même vendredi soir, il n'est pas rentré coucher. Toute la journée, ils ont déménagé ses affaires.

Je n'avais aucune réaction; j'écoutais, paralysé sur place.

— C'est pas la première fois que ça se passe comme ça, je suis arrivé ici trois ans avant toi. Quand la direction découvre qu'un père fricote avec un élève, ils le font disparaître. La victime est jamais inquiétée, elle. Les moines font comme si rien ne s'était passé et tous les curés deviennent gentils et prévenants. Les notes gonflent sur les bulletins, pis y a pus personne qui te pogne le cul pendant un bout de temps. L'important: tout faire pour que la victime oublie et qu'elle se taise. Mais tout le monde le sait, que, toi, brillant comme tu l'es, t'oublieras pas. Ça va être l'enfer pour toi. Va-t'en.

Il me regardait droit dans les yeux.

— Mais le père Blondin me l'avait dit, que vous étiez en amour pour vrai.

Il a commencé à pleurer:

— Va-t'en tu suite chez vous. J'veux pas que tu voies la suite. Pis approche pas du bureau de Sanschagrin. Essaye pas d'entrer pour te remémorer des beaux souvenirs, la place est déjà occupée.

Je me suis mis à le secouer.

— Par qui?

Ses pleurs ont redoublé.

— Par qui? j't'ai dit.

Et il m'a enfin répondu dans un filet de voix:

— Par Liche-Bobettes, qui est en train de sucer son premier élève.

Il hoquetait dans ses larmes.

— Va-t'en, j'veux pas que tu sois mêlé à ça.

Il a ajouté, après m'avoir jeté un regard désespéré:

— Va-t'en, j'veux pas que tu saches la suite. Si tu t'en vas pas, j'vais être obligé de te le dire.

Il a éclaté d'un sanglot si déchirant qu'il m'en a donné la chair de poule.

— Je viens d'égorger le père Blondin, tellement j'étais écœuré de me faire enculer, ça me faisait tellement mal, c'était rendu que je saignais à chaque fois.

Je me suis précipité vers le bureau de la grosse, prêt à tout pour sauver une vie. Il m'a rattrapé.

— Perds pas de temps, je l'ai pas raté, pis c'est pas beau à voir. Au début, j'faisais ça pour ma blonde. J'voulais pas qu'elle sache que j'étais un tout nu. Avec les trente sous que le père me donnait, j'pouvais lui payer la colle qu'elle sniffait. Va-t'en, j'veux pas que tu sois là quand y vont m'arrêter.

Je l'ai pris dans mes bras. Ce grand gaillard était devenu un petit être fragile et sans défense que ces salauds allaient détruire. Il faiblissait. Privé de larmes, il a poussé un gémissement à vous glacer le sang; je l'ai aidé à se pelotonner contre la porte de sa victime et, en me relevant, ma décision était prise. J'ai fixé le bureau de Sanschagrin, prêt à aller détruire le moindre objet qui me tomberait sous la main. Et à égorger Liche-Bobettes s'il le fallait.

Mais quand j'ai commencé à me diriger vers le bureau pour aller en défoncer la porte, j'ai été pris d'un vertige; la chaleur m'a envahi comme chaque fois que j'avais des visions. J'ai vu Mom être obligée de continuer à danser et de se mettre à la rue pour me payer un avocat. Je n'avais pas le droit de lui faire ça. J'ai pris mes jambes à mon cou et j'ai foncé vers la porte de sortie comme un éclair.

Cela faisait maintenant deux ans que j'épluchais régulièrement le *Montréal-Matin*, *Allo Police* et tout journal à sensation qui se serait fait un malsain plaisir de faire la une avec un scandale de cette envergure.

Rien.

J'avais remué ciel et terre. Tout le monde était introuvable, disparu dans la nature comme par enchantement. D'Essanges avait-il des parents importants? Ça m'aurait étonné: il se faisait faire la job pour garder sa blonde, une jeune Autochtone, avais-je appris, qui se mettait dans le nez tout ce qui pouvait la faire planer. Quant au père Blondin, il était tellement gros qu'il était impossible qu'on l'ait sorti du collège sans que personne le voie.

À moins qu'on ne l'ait pas sorti de l'établissement et que la légende n'ait été vraie. Les anciens, dans tous les conventums, disaient « le crématorium » quand ils parlaient de la chambre aux fournaises.

D'Essanges n'avait probablement pas été tué, mais comment avait-on procédé pour lui faire fermer sa gueule? Il devait être orphelin. C'était facile de faire disparaître un orphelin; ce n'aurait pas été le premier.

J'ai cherché, j'ai téléphoné, en changeant ma voix, dans tous les orphelinats qui faisaient affaire avec les pères de la Sainte-Foi. Mom m'avait permis de faire les interurbains que je voulais.

Pas de nouvelles de D'Essanges. J'en profitais toujours, avant de terminer mon appel, pour demander, l'air détaché:

— Est-ce que je pourrais, par la même occasion, laisser un message au père Louis Sanschagrin?

À l'autre bout du fil, toujours la même réaction:

— Qui?

La dépression était devenue ma plus fidèle compagne. Quand je ne faisais pas des appels, je me cachais dans ma chambre, dans le noir, et j'essayais de me masturber. Je n'avais pas bandé depuis deux ans. Le psy de Saint-Jean-de-Dieu m'avait dit que c'était à cause des injections qu'on me donnait pour apaiser les monstres en moi, qui me transportaient dans leur univers parallèle.

C'était son diagnostic. Mais, dans le fond, j'étais juste weird. Trop intelligent pour être fou.

Je recevais une injection par semaine. Je ne haïssais pas ça. J'étais ben gelé quand on me donnait ça. Mais là, je voulais bander, sacrament!

Je ne me suis pas présenté à l'hôpital pendant un mois, évitant ainsi les injections. Je n'ai pas bandé plus. En manque, j'ai juste failli tuer ma mère en lui donnant une claque sur la gueule. Elle a riposté avec un direct dans le milieu du visage. Elle m'a cassé le nez. Mon rêve! J'étais pas mal moins beau, mais tellement content.

Malgré ça, le monde continuait à me cruiser. Un nez cassé, cibole, il paraît que c'est sexy et prometteur. Les gars avec un nez croche étaient censés être plus vicieux que les autres. Ce n'étaient plus des gars qui me faisaient des avances, mais des femmes. Comment vouliez-vous que je vérifie si j'étais encore capable de bander?

Je continuais quand même mes recherches. J'ai même essayé de joindre la mère de Louis. Déménagée, la riche madame Sanschagrin. Partie sans laisser d'adresse. Plus j'y pensais, plus je trouvais ça improbable que les autorités ecclésiastiques aient envoyé un révérend de famille riche en pénitence dans un de leurs manoirs éloignés. La mère n'aurait jamais laissé faire ça.

J'avais maintenant un gros dix-sept ans; j'avais des décisions à prendre. Dépression pas dépression, il fallait que je travaille. Avec mes connaissances, j'aurais pu être très bon dans tout, mais je finissais toujours par être bon dans rien. Je faisais des gaffes. J'étais trop perdu dans mes pensées, mes spirales, mes tourbillons… Et dans ce temps-là, elles n'étaient pas belles à voir, mes pensées. J'avais besoin de quelqu'un qui me prenne par la main et me dise quoi faire. J'étais prêt à essayer n'importe quoi.

Ce matin-là, je sentais les picotements qui annonçaient mes départs tourbillonnants. Quand j'étais dans cet état-là, je me mettais à me concentrer pour que quelque chose finisse par arriver. Je ne voulais pas, encore une fois, tournoyer et voir le fond de mon âme. Moi qui ne croyais plus en rien, je me suis mis à prier pour qu'au moins, une personne se présente le plus rapidement possible.

J'avais à peine entamé ma prière que la porte d'en avant s'est ouverte en coup de vent et est allée violemment heurter le mur de brique, seul élément décoratif de notre sympathique taudis. C'était Mom qui arrivait en claironnant :

— Bon, c'est décidé : je crisse mon camp du club, pis, ensemble, on ouvre un salon de voyance : lecture des lignes de la main, tarot de Marseille, tournage de tables… Enfin, toutes les gimmicks pour qu'on gagne plein de bacon, vite, vite, vite. Toi, je vais te placer ici dans le centre pour que tu fasses venir les esprits. Pendant ce temps, je vais être cachée en arrière d'une tenture pour les faire parler. Mais on va commencer par les lignes de la main. T'es un as là-dedans.

La crise d'angoisse a failli se montrer le bout du nez de nouveau. Je lui ai répondu :

— Mom, j'ai fait ça une fois avec Louis et je racontais n'importe quoi.

— C'est ça que le monde, y veulent entendre. Parce que tu sais, ce monde-là, y viendront pas ici pour connaître nécessairement l'avenir. Y veulent juste se faire parler, trouver une présence. Tu remarqueras, en général, c'est des gens qui vivent tout seuls.

Elle s'est mise à arpenter la grande pièce centrale, imaginant son décor.

— On va tout transformer, j'veux que les clients aient l'impression de revenir dans l'utérus de leur mère.

— Mom, concernant l'utérus en question où je vais faire tourner la table, on peut-tu l'appeler le « Salon Jean-Paul Sartre » ?

— Trop long. Le Salon Sartre ? Mais tiens, mieux que ça, mon homme, ça va s'appeler le « Salon Sartre et Beauvoir »… Ah, pis mieux à la racine carrée : ça va s'appeler le « Salon Beauvoir et Sartre ». On va dédier notre œuvre à la réparation des erreurs du passé. Toutes les femmes vont être les bienvenues ici, vingt-quatre heures sur vingt-quatre.

— Mom, je vais pas arrêter de me faire cruiser.

— On va te déguiser en fakir… Mais, pour les tables, on commencera pas ça tu suite ; avant, faut trouver un moyen pour les faire bouger.

— Pas nécessaire, chuis capable. J'avais dix ans, pis quand j'allais garder les p'tites Coulombe pour une palette de chocolat, si je voulais être tranquille, je leur faisais peur en faisant tourner leur table : un petit guéridon chambranlant qui se trouvait dans l'entrée. Quand la table se mettait à marcher, elles avaient tellement peur qu'elles allaient se cacher en dessous de leurs couvertes. J'avais la paix pour le reste de la soirée et je pouvais lire mes chefs-d'œuvre tranquille.

Mom a ouvert de grands yeux en découvrant un autre talent de son fils.

— Comme ça, la table, ça marche?

— Ben oui. En fait, je le sais pas vraiment. Des fois, tu sens que c'est toi qui la fais bouger, pis, d'autres fois, t'as vraiment l'impression qu'elle part toute seule. Une fois, j'ai été obligé de la suivre en courant dans le corridor. J'avais comme les mains soudées dessus. D'après certains scientifiques, la seule chose qui pourrait expliquer ça, c'est que les atomes du bois, stimulés par la chaleur de nos mains, se mettraient à éclater et la table se mettrait à sauter.

Mom était très impressionnée:

— Ce qu'y font pas avec la science, de nos jours!

— Mom, fais-moi confiance. C'est l'attitude, l'assurance pis le ton de la voix qui comptent et, ça, j'suis ben bon là-dedans... Y a juste la lecture des cartes qui me fait peur.

— Pas à moi. C'est des gens du quartier qui vont venir en premier. J'les connais tous. Je vais tout te mémérer ce qu'y ont fait de croche et ce qu'y attendent de la vie. De toute façon, mal pris, tu leur prédis qu'un jour y vont gagner un char de l'année, pis ta clientèle va doubler. Pis quand t'auras des clients qu'on connaît pas, c'est ben simple: tu t'installes, ben concentré, et tu commences par dire que les cartes ne semblent pas vouloir parler. Là, tu commences à faire de petits soubresauts, car tu sens dans tout ton être que les cartes ne veulent définitivement parler qu'à toi. Tu t'ouvres les yeux ben grands, pis tu pognes le fixe. T'écoutes en ayant des frissons, en marmonnant des semblants de questions, et tu termines par un cri étouffé. Tu te lèves et reconduis le client vers la porte en lui avouant que tu ne peux pas te permettre de lui révéler une prédiction qui va briser sa vie. Tu le pousses dans la ruelle, pis tu barres la porte. Tu viens de te faire un dix facile.

— Oui, mais le client va finir par revenir pour se faire rembourser.

— Tu lui diras que c'était de l'argent blanchi par la pègre, pis que c'est ça que la table voulait pas lui dire. L'argent est rendu au poste de police. Ils vont l'appeler pendant l'enquête. En dernier, tu lui fais comprendre qu'il a intérêt à être discret. On joue pas avec la mafia. Ce client-là va t'en emmener d'autres, t'as trop bien travaillé. Tu l'as sauvé de la prison. C'est toi la victime, t'as fait du recel d'argent. Y va s'excuser et t'envoyer tous les gens qu'y connaît : sa famille, les gens du bureau et la caissière du Steinberg près de chez lui, y t'a trouvé trop bon. Mais là, on va travailler comme des professionnels : on va leur donner à chacun un rendez-vous. Deux à trois semaines d'attente. T'es tellement occupé. Moi, ça va me donner du temps pour faire mes enquêtes.

Revenant sur terre, elle s'est souvenue qu'elle devait se rendre le plus tôt possible à l'Hawaiian.

— Avant de mettre tout ça en marche, faut que j'aille annoncer la mauvaise nouvelle à monsieur Libovitch. Y s'en remettra jamais, ce pauvre homme.

— Au fait, Mom, je t'avertis : la première fois que tu parles derrière le rideau pour imiter des fantômes, je te mets ma main sua yeule comme l'aut' fois.

— Pis moi, j'te recasse le nez, j'vais peut-être te le remettre en place.

Nous nous sommes mis à rire comme des fous et à batailler en nous roulant sur le plancher.

Mom s'est présentée plus tôt au club ce soir-là. Elle voulait rencontrer monsieur Libovitch avant l'arrivée des autres filles. Mom avait presque appris par cœur les nombreuses raisons de son départ, qui n'était justifié, en fait, que par sa grande fatigue, dont j'étais la principale cause, j'en avais bien peur.

Quand elle est entrée dans son bureau, Libo affichait un air catastrophé et quand elle a tenté d'ouvrir la bouche, il lui a clos le bec d'un simple regard paniqué :

— J'ai tellement cherché la façon de t'annoncer cette nouvelle-là avec ménagement, pis j'en ai tellement pas trouvé que j'ai décidé d'y aller direct : Bubble, chuis obligé de fermer le club.

— Toujours excessif, mon Libo…

— Insalubrité, trafic de drogue et grossière indécence.

— C'est pas moi, ça, j'espère.

— Ben non, t'as pus rien d'indécent, ma belle Bubble. C'est la petite Chinoise de quinze ans qui suçait en dessous des tables.

— T'es pas vraiment responsable de ça, t'as pas l'habitude de te tenir en dessous des tables, pis tu le savais pas, qu'elle avait juste quinze ans.

— Non, mais je savais qu'elle suçait. Quand les bœufs sont arrivés, c'est à moi qu'elle était en train de faire la job. Pis ce qui m'écœure le plus, c'est que j'avais enfin trouvé la meilleure suceuse du Red Light.

— T'es donc ben rendu pervers, mister Libovitch.

— C'est à force de vous côtoyer.

— Pis l'insalubrité ? C'est propre icitte !

— T'es jamais allée dans la toilette des hommes, toi !

— Non, je pisse pas deboute.

— J'te parle sérieusement, Bubble !

— OK d'abord, revenons à la toilette des hommes. Les toilettes pour les consanguins qui te servent de clients. Tu passes la moppe tous les quarts d'heure, pis t'as pas le dos tourné, y en a toujours un qui va tu suite pisser sué murs, pis se répandre à côté du bol. Tellement beurré qu'y s'rappelle pus qu'on chie pas deboute. Pis c'est quoi, c't'histoire de trafic de drogue?

— La petite Chinoise en vendait dans les toilettes des femmes pendant que c'était toi qui étais sur le stage. Elle savait que t'approuvais pas ça.

— Ça te rapporte gros d'engager des mineures parce qu'elles te coûtent moins cher. Bon calcul, mon beau Libo. Bon, quand est-ce qu'y faut décrisser?

— Samedi dans deux semaines.

— J'pense que j'vais commencer à ramener des choses à la maison.

— Ç'a pas l'air à te faire trop de peine.

— Libo, viens t'asseoir que je t'parle, je t'aime trop pour te mentir. J'allais te donner ma démission. Chuis pus capable. Je m'tape le p'tit char du bout de l'île pour venir dans le Red Light deux heures par jour le cul dans le rotin. À force de stepper pis de me déhancher, j'ai une descente de la matrice, fond de ciboire! Pis si je continuais, un soir, je ferais partir dans le *ring side* la tête du gars qui, à tous les samedis depuis cinq ans, au troisième show, me crie, chaque fois que je passe à côté de lui sur le stage: «A l'a-tu mis ses 'tites culottes, la belle Bubble?» Et quand j'm'éloigne, y finit toujours sa joke en hurlant pour qu'on l'entende ben jusque dans l'fond de la salle, même si personne écoute: «Hey, Bubble Gum, je te mâcherais ben! Woua, woua, woua, woua, woua!» J'imagine, Libo, que tu te souviens des rires gras qui suivent à tous les coups, venant de la table de ses chums. J'endure ça tous les samedis.

Délaissant son ton revendicateur, elle a fixé Libo, affichant un vaste sourire:

— Faut pas que tu t'inquiètes pour moi: j'pars un petit commerce avec François. J'veux m'occuper d'lui.

Elle a pris un ton confidentiel:

— Y va virer crackpot. Y a constamment des vertiges, des angoisses, des visions. Y a dix-sept ans, sacrament, pis, des fois, y m'sort des mots que j'comprends mêm' pas. Y a juste dix-sept ans, pis j'ai l'impression d'avoir un fils de cinquante ans qui m'étale son savoir. Y est pas la réincarnation de Mozart comme j'l'pensais, mais d'Einstein, maudit verrat! Pis pour finir le plat, y pense encore rien qu'à son curé, y est encore en amour. Pire qu'y a deux ans, quand ce sacrament-là était là. Y m'en parle jamais, mais je l'entends brailler tu seul dans sa chambre. Pendant des nuites de temps.

Elle a levé de beaux yeux humides vers monsieur Libovitch.

— C'est-tu de ma faute, ce qui lui arrive?

— J'pense que, quoi que t'aies pu lui faire, c'est moins grave que ce que sa belle gang de dégénérés lui ont administré comme traitement. Pis, ta réponse, tu l'as en voyant à quel point il t'aime, c'te petit gars là. Fais-moi plaisir, Bubble, c'est dimanche soir, y a du hockey, ça va être pratiquement vide, comme à toutes les parties du Canadien pendant les finales, alors rentre chez vous, pis repose-toi. Regarde l'*Ed Sullivan Show* à la télévision. Ça va te détendre, y a Sophie Tucker qui passe à soir. Tu l'adores. *Some of these days you'll miss me, honey.*

Mom s'est décidée à révéler l'inqualifiable:

— Faudrait d'abord que je sorte mon appareil du container à vidanges. François dormait pas l'aut' soir, pis y s'est vengé sua TV. C'était Henri Bergeron à l'écran: ça y a faite poigner les nerfs deux fois plus. Mais t'as raison, j'vas rentrer avant que ma progéniture fasse pire. Tant qu'y varge dans la face à Henri Bergeron, c'est pas si grave. Mais j'voudrais pas qu'y s'en prenne à sa prop' personne. Même avec son nez cassé, y s'trouve encore trop beau. Y a vendu tous les miroirs d'la maison dans un pawnshop. J'commence à avoir peur pour sa santé mentale. Y s'accepte pas, ce petit garçon là. Figure-toi donc qu'à Saint-Jean-de-Dieu, y voulaient le garder l'aut' jour. Y a faite une crise, pis y a cassé des carreaux parce que la garde lui a justement dit qu'y était beau comme un gros bâton fort.

— Y aime pas ça que les femmes le cruisent. Est-ce qu'elles vont finir par le laisser tranquille, viargette?!

Elle s'est levée pour se diriger vers sa loge et monsieur Libovitch l'a assurée de son soutien inconditionnel.

Le lendemain, je me suis rendu au club, en cachette de ma mère, pour rencontrer Libo et préparer une grande fête.

Monsieur Libovitch avait tout accepté. On n'avait eu qu'une journée pour accrocher les ballons, les banderoles et les guirlandes en papier, mais tout était là. Il ne restait plus qu'à attendre la reine de la soirée. Pour se débarrasser de Mom, monsieur Libovitch avait réussi à lui obtenir une gig à l'autre bout de la ville. Un congrès des chevaliers de Colomb au temple des francs-maçons, rue Sherbrooke Ouest.

Tout était préparé au quart de poil. Quand Mom arriverait au club vers dix heures, on simulerait la panique en coulisses; tout le monde se jetterait sur elle en criant: «Vite, t'es en retard, y manque une marcheuse!» Monsieur Libovitch ferait les cent pas dans les coulisses en s'arrachant les cheveux et en invectivant le ciel pour tous les malheurs qui lui étaient tombés dessus durant la dernière quinzaine. C'est le busboy qui l'aiderait à enfiler sa plus belle robe, la verte, celle que Denise Filiatrault trouvait trop décolletée et lui avait donnée quand elles travaillaient ensemble au 42. Après lui avoir rafraîchi le maquillage, on la jetterait sur la scène qui serait encore dans le noir.

Mom s'est pointée à dix heures sonnantes et tout s'est passé comme prévu.

Un peu désemparée dans le noir total, elle apercevait des couleurs commençant à naître lentement autour d'elle. L'orgue Hammond lui donnait les premières notes d'une chanson populaire que chantait Filiatrault au Copacabana, au coin de Peel et de Sainte-Catherine. Mom admirait la vedette et n'avait jamais osé reprendre cette chanson qu'elle adorait. Moi, je savais qu'elle le pouvait. Elle s'est mise à chanter *Whatever Lola Wants,* en se déhanchant comme Rita Hayworth dans *Gilda.*

Les lumières adoucissaient ses traits: elle avait vingt ans de nouveau. Des coulisses et du fond de la salle, des roses, des bleus, des verts tendres étaient projetés sur elle en rayons bien visibles presque palpables. Le club était plein et la fumée de cigarette faisait son travail.

J'avais eu peur que Mom ne tienne pas le coup quand elle apercevrait Lili dans le *ring side* venue direct de New York pour l'occasion. Monsieur Cotroni était là, lui aussi. Mom a versé sa première larme quand son regard est tombé sur monsieur Grimaldi accompagné de sa fille Francine, juste derrière Lili.

C'est le groupe qu'elle avait le plus chéri, et ses tournées d'été l'avaient toujours comblée.

Le climax de cette soirée est arrivé quand la musique a changé de rythme et que Mom s'est mise à tourner, en relevant ses cheveux comme Rita Hayworth. Elle faisait des pas qu'elle n'avait jamais osé tenter. À la fin du numéro, tous les spots se sont mis à flasher, créant une orgie de couleurs qui ne pouvait qu'inciter la foule à lui faire une *standing ovation*.

J'étais fier de moi. J'avais réussi. J'avais travaillé fort, durant les deux dernières semaines, pour tout préparer, entre autres pour faire oublier les deux crisse de spots rouge et blanc qu'elle avait été obligée de subir depuis son arrivée au club. Des spots au-dessus de sa tête! Ça lui donnait trente ans de plus. Pour son dernier show, Libo avait loué tout ce que je désirais. Le Montmartre avait prêté un vieux follow. Ça n'avait pas été facile, mais je m'en étais bien sorti. Vers la fin du numéro, il fallait que je m'installe le manche du follow sur une épaule, mon pied droit servait à partir le magnéto et il me restait mes deux mains pour les *fade in* et les *fade out*. Pour les lumières qui flashaient en changeant de couleurs, j'avais eu besoin d'une troisième main. J'avais emprunté celle du busboy. Pour le black-out final, c'était plus facile: j'arrachais d'un coup tous les fils branchés dans le mur, que j'avais pris soin d'attacher ensemble avec du tape.

Mom était tellement belle dans mes éclairages. Fuck Edwige Feuillère.

Le lendemain, Mom était tellement requinquée par la soirée de la veille, où en plus tous ses amis s'étaient cotisés pour lui donner deux cent cinquante dollars, qu'elle s'est levée à huit heures pour qu'on aille investir cet argent dans notre futur commerce. Elle voulait un appareil pour faire de la boucane avec de la glace sèche comme il y en avait dans les clubs chics. Le café Montmartre nous prêterait ça. On commencerait à s'en servir dès les premières manifestations de la table.

À l'Armée du Salut, on a trouvé de vieux cadres sculptés à l'ancienne. Des photos de vieux ancêtres. On a choisi les plus étranges, et je me suis inquiété :

— Ça aura pas ben ben l'air d'un utérus.

— On trouve de tout dans un utérus, mon homme.

Voilà. Cela venait d'être décrété.

En plus, il nous fallait tout pour le bureau : factures, reçus et, surtout, des certificats d'authenticité pour mes prédictions. On a acheté un tableau noir où, tous les jours, on inscrirait la personnalité, morte de préférence, susceptible de venir nous visiter dans la semaine.

Je me suis encore obstiné avec ma mère : elle tenait à faire des voix de fantômes.

— Mom, j'ai peur qu'y te reconnaissent.

— Hey, j'ai fait assez d'imitation, l'été, avec Grimaldi.

Elle a fini par me convaincre et on est allés se dénicher une vieille chaîne stéréo avec micro et magnéto (toujours au Montmartre). On a investi les caves du Coronet, dans le Vieux-Montréal, avec des pelles ; on cherchait des crânes. On a fini par les acheter en plastique au Larivière et Leblanc.

Ensuite, il fallait trouver les costumes. Mom pensait accueillir les gens vêtue en vampire, et elle me voyait toujours habillé en fakir. Mais elle s'était bien gardée de me dire que les fakirs étaient à moitié nus.

Vieille routière du show-business populaire, Mom a fini par m'avouer qu'elle avait des doutes quant à la possibilité d'attirer des foules uniquement avec l'ésotérisme.

— Si on veut faire marcher le commerce, ça prendrait un peu de peau.

Elle a d'abord essayé de me convaincre que ça me servirait de thérapie pour accepter ma beauté. Et le grand cri du cœur d'une mère frustrée est enfin sorti de sa poitrine:

— Je veux retrouver le fils qui se promenait tout nu dans les corridors, la grosse quéquette qui se baladait d'un mur à l'autre.

— Mom, exagère pas!

— Une femme a le droit de rêver! C'est pas ce qu'on voit qui nous fait mouiller, nous autres les femmes, la plupart du temps, ça vaut pas cher la verge, mais ce qu'on imagine. J'aimerais qu'y ait un petit parfum de scandale, d'érotisme discret qui se dégage de notre affaire. Un beau gars tout nu, y ont pas encore vu ça dans les clubs. Pis si y a personne qui commence, on n'en verra jamais.

— J'espère que t'es pas en train de me demander de faire ma job tout nu!

— Ben non! Pas à table.

Je la voyais hésiter. Quelle idée, cette fois, avait-elle eue? J'appréhendais toujours ses élans créatifs, car elle ne reculait devant rien pour nous convaincre de la suivre dans ses énormités. Elle s'est décidée à plonger:

— Quand tu sens qu'une femme vient de se faire planter là par son mari, ou qu'une vieille sacoche ben down a pas sucé depuis vingt ans... ben, si tu frappes plus fort sur le plancher avec ta table, l'esprit pourrait leur prédire qu'elles sont sur le bord de rencontrer un jeune dieu grec au nez cassé qui va leur offrir une... thérapie sexuelle de choc.

— C'est quoi encore, c't'idée-là? Calme-toi avec tes plans de dernière minute. Je veux pas fourrer avec des loosers comme ça, moi!

— Qui te parle de fourrer? J'vais t'installer un tabouret derrière la tenture où je fais mes voix. Quand tu sens un client potentiel, tu m'fais signe, j'fais partir la musique, les encens, j'crée l'atmosphère, quoi! Toi, tu vas juste avoir à grimper sur ton tabouret. Je vais te montrer à faire un strip-tease.

— Ben oui, mais j'vais finir tout nu pareil !

— J'ai pas le droit d'espérer qu'un jour le monde entier voye le cul de mon fils ? C'est la plus belle chose que j'ai réussie dans la vie. Pis parce que je suis sa mère, j'ai pus le droit de voir mon chef-d'œuvre depuis qu'y porte pus de couche.

L'argument était de taille, et comment refuser ce plaisir inoffensif à une femme qui avait tout fait pour que je m'épanouisse sainement ?

— Ah ben, si c'est pour te faire plaisir, ma belle Mom adorée, fallait le dire plus vite : checke-moi ben déchirer mes bobettes, quand le Salon Beauvoir et Sartre va avoir ouvert ses portes. J'espère juste que, d'ici là, je vais recommencer à bander.

Ç'a été la course aux aubaines chez Dupuis Frères. Nous avons trouvé facilement des bobettes avec des manques, plus facile à déchirer, qui étaient en spécial. On en a pris trois douzaines pour commencer.

On a trouvé un maquillage pour souligner mes muscles et les mettre en valeur. On a aussi acheté une poudre brillante que je me mettrais sur les fesses pour que ça chatoie.

Et je venais d'avoir une idée de génie qui commençait déjà à me faire bander. Je salivais en me voyant me bouger le cul devant un miroir en… jackstrap. Oui, je finirais en jackstrap !

Le temps que je me mette un jackstrap, ça m'excitait tellement, ce que je voyais dans le miroir, que ça ne prendrait pas deux minutes et demie pour que je vienne. En plus, grâce à ma constitution, je pourrais recommencer trois fois de suite sans me vider complètement.

Voilà bien le plus important qui m'était arrivé en cette journée de magasinage dans le sous-sol de chez Dupuis Frères : j'avais recommencé à bander.

— Ah, le sacrament !

J'ai eu une pensée furtive pour Sanschagrin.

Il avait juste fallu que je me fasse enculer par une crisse de petite queue d'à peine quatre pouces une fois bandée pour que je m'oublie, pour que je m'imagine que j'avais connu le nirvana et que je croie dur comme fer qu'un hostie de curé m'avait ouvert la porte du paradis. Que, sans son cul, la jouissance m'était interdite, que dans la vie, pour avoir du fun, ça me prenait le révérend-Louis-Sanschagrin-père-de-la-Sainte-Foi-futur-archevêque, qui deviendrait avec un peu de chance le pape-Saint-Chagrin-premier-qui-aura-l'honneur-de-présider-l'Armageddon.

À la librairie, monsieur Tranquille m'avait montré un calendrier maya selon lequel tout s'arrêterait en 2012. Après un bref calcul, j'ai compris qu'il ne me restait plus qu'une cinquantaine d'années pour rattraper le temps perdu.

Ça commençait à me piquer de partout. Une sensation de chaleur m'envahissait tout le corps, mais ce n'était pas la chaleur de mes crises d'angoisse habituelles. Une nouvelle chaleur, avec un parfum de cul qui la précédait. Je me mettais à m'élever, à tourner, je voyais le psy et je lui rentrais son injection dans le fond de la gorge. Louis a osé essayer de se montrer la face, mais dès qu'il entrait dans mon aura, les yeux lui tombaient des orbites, et de sa bouche une langue dégoulinante sortait, en train de se faire bouffer par une armée de cancrelats venimeux. Après sa disparition, Julien d'Essanges prenait sa place et me faisait des grands gestes d'encouragement.

Plus je tournais, plus je bandais et, comme dans un rêve érotique, juste avant d'éjaculer, je me retrouvais dans le magasin du sous-sol de chez monsieur Dupuis et ses frères, et je la cherchais du regard. Je l'ai aperçue au fond du magasin dans une allée, et je lui ai crié devant tous les clients :

— Mom, Bichette a recommencé à prendre de l'expansion.

Ça ne nous a pas pris vingt-quatre heures pour installer nos bébelles. Mom avait un certain talent de décoratrice et c'était aussi beau qu'un char allégorique de la Saint-Jean.

En mettant les pieds dans la maison, on avait l'impression d'entrer dans le vestibule de l'enfer de Dante. Certains disaient avoir le feeling, et c'était un compliment, d'être admis dans la maison du Diable sous le petit pont du parc Lafontaine, l'odeur de pisse en moins. La dernière chose qu'on avait faite : poser l'enseigne au-dessus de la porte. Maman avait eu une bien bonne idée : elle avait inscrit sous « Salon Beauvoir et Sartre » un unique mot : « Ésotérisme ». Ça couvrait tout. Nous ne serions pas pris les culottes baissées si quelqu'un insistait pour se faire faire de la numérologie. Nous pourrions dire oui sans hésitation. Nous avions maintenant les livres de référence nécessaires pour satisfaire tout client, fût-il un obsédé de certaines coutumes anciennes. Mom avait inventé une nouvelle forme de voyance maison. En spécial le jeudi. Elle prenait une pinte de lait en verre bien propre qu'elle remplissait d'eau, elle n'avait qu'à y jeter un blanc d'œuf et le tour était joué. C'était le client qui racontait son passé en regardant les dessins que formait le blanc quand il descendait lentement dans le liquide. Ce serait présenté comme une coutume scandinave du huitième siècle.

Et le clou des pratiques anciennes, pour les désespérés : Mom ferait la lecture des lignes de l'anus. Une pratique courante en Inde au début du dix-neuvième siècle. Ma mère disait que c'était très précis, très révélateur.

On était prêts. On n'avait plus qu'à attendre les premiers clients. On n'avait pas encore fait de publicité. Mom voulait qu'on s'entraîne un peu avant. Après deux heures d'attente, une fille plutôt gelée s'est présentée, un vingt piastres à la main, et nous a demandé de l'aider à faire le grand transit : il fallait qu'elle aille rejoindre son gourou. Elle nous suppliait de la propulser sur Uranus. Mom, occupée à bien ajuster ses dents de vampire, écoutait à moitié ; elle a juste entendu le mot « anus ». Elle a pris la fille par le bras, l'a entraînée derrière la fameuse tenture où je m'exhiberais plus tard pour lui arracher les bobettes et faire sa première lecture professionnelle importée des Indes.

La fille était tellement buzzée qu'elle pensait que ça avait réussi. Juste avant de sortir de chez nous, elle a demandé s'il y avait une atmosphère sur Uranus et combien de temps durait une journée. Elle voulait aussi savoir si les clubs fermaient plus tard, vu que les journées étaient plus longues. Elle ne semblait pas attendre de réponses et, heureusement, nous n'avions pas l'intention d'en donner. Elle a posé une dernière question avant de nous quitter : avait-on le droit de fumer sur Uranus ? Elle aimait mieux être prévenue ; elle ne supportait pas la fumée. Après avoir fait quelques pas à l'extérieur, elle est revenue pour ce que nous croyions être une dernière fois.

— Inquiétez-vous pas, ça respire bien dehors.

Et une petite dernière pour la chance :

— Si c'est pas *no smoking*, je pourrais vouloir retourner, éteignez pas les moteurs.

Mais un ultime doute lui a traversé d'esprit :

— Coudonc, avez-vous vu mes bobettes, vous autres ?

Après deux autres heures d'attente, un monsieur en limousine est venu nous rendre visite pour savoir si nous avions une édition numérotée du *Deuxième Sexe* de Simone de Beauvoir.

On a tenu le coup jusqu'à une heure du matin. Le lendemain, on ferait de la publicité. Je suis allé me plonger sous mes couvertures. J'ai caressé doucement le bout de mon gland d'un index mouillé, après avoir délicatement retiré le prépuce déjà humide de l'onctueux liquide préséminal qui avait déjà commencé à couler pour lubrifier ma pine dressée, attendant qu'une main attentionnée vienne lui brasser la cage.

Le succès a été foudroyant dès qu'une simple petite annonce a été publiée dans le journal local et le feuillet paroissial. La place n'a plus dérougi.

Un système avait été instauré afin qu'il n'y ait pas d'attente inutile. Les clients devaient passer le matin et s'inscrire en précisant quel service ils souhaitaient. La table tournante restait la grande préférée, le hit incontestable. La thérapie sexuelle dite de choc, ma nouvelle spécialité, avait été programmée après vingt-deux heures pour que ce soit fait dans la discrétion la plus totale.

Un incident qui aurait pu être banal est arrivé quelques jours après l'ouverture, et la grande publicité qu'il a suscitée a aidé au succès de l'entreprise.

Une dame étrange vêtue de noir, corsetée comme au début du siècle dernier, s'est présentée au Salon, accompagnée d'une vague suivante. Elle tenait à avoir près d'elle un témoin qui pourrait se souvenir de chaque détail de la consultation. Je dois préciser que cette dame, très cernée et dépressive, ressemblait à un vieux personnage du Musée Grévin. Il n'était pas nécessaire d'être voyant, extralucide ni même simple shaman pour ressentir un bien étrange malaise en sa présence. Dame Ramina Rada Boujnikskaya, Ukrainienne et déprimée chronique, était fraîchement débarquée d'un cargo de troisième classe qui avait jeté l'ancre dans le coin le plus sinistre du port de Montréal, très à l'est, parmi les barils d'huile endommagés qui laissaient encore couler dans le fleuve les derniers litres de leur liquide poisseux et lourd.

Ce sont les détails que nous avons pu lire dans le *Montréal-Matin* le lendemain du terrible drame. En moins poétique.

L'on pouvait sentir la mort rôder autour d'elle. Elle était laide avec son front dégagé et autoritaire. Elle était profondément antipathique et réfractaire à toute forme d'empathie à son égard. Vous verrez que cette évaluation de son caractère n'est pas nécessairement conforme à la réalité, mais cette envolée littéraire est là pour rester.

Escortée par cette naine (je m'excuse de ne pas l'avoir précisé) répondant au seul prénom d'Irina et qui, en entrant dans le Salon, a déjà paru déstabilisée et s'est réfugiée derrière la porte, dame Ramina Rada Boujnikskaya a fait son entrée et est allée se plaquer dos au mur, en prononçant ces paroles énigmatiques :

— Où mort rôde, beauté émeut.

Nous pouvions ressentir en effet la présence de la Grande Faucheuse. Dame Ramina Rada Boujnikskaya a commencé à s'agiter, réclamant vite les cartes. Elle en a attrapé un jeu qui traînait sur une table basse de l'entrée, en a fait un éventail avec une dextérité phénoménale malgré des mains percluses d'arthrite, puis s'est avancée vers moi en répétant d'une voix profonde et dérangeante :

— Choisissez carte du destin.

J'étais un peu dépassé, venant à peine de sortir de mon lit. C'était la première cliente de la journée et je n'étais vêtu que de mon pantalon de pyjama, tellement usé et élimé qu'il m'était difficile de camoufler mon érection matutinale. Dame Ramina Rada Boujnikskaya semblait peu intéressée par mon sexe gonflé qui avait de légers soubresauts, essayant de sortir de ma braguette entrouverte. Seule la naine Irina s'accrochait à cette vision d'enfer. Baissant la tête, je me suis alors adressé à mon sexe d'un ton sévère :

— Tranquille, Bichette, couchée !

Irina s'éventait avec un prospectus, trouvé par hasard, afin de ne pas s'évanouir sur une chaise bancale derrière elle, ce qui a fini par arriver malgré tous ses efforts. Pendant ce temps, dame Ramina Rada Boujnikskaya répétait inlassablement :

— Choisissez carte du destin.

La jeune réceptionniste s'est occupée de la naine tandis que dame Ramina Rada Boujnikskaya tournait autour de moi, m'enjoignant de prendre une carte. J'ai fini par obéir et la consulter. Voulant alléger l'atmosphère, j'ai laissé tomber ces quelques mots qui m'ont valu ses foudres :

— Cette carte dit qu'il me faut un café si vous espérez que tous mes sens soient en éveil pour vous prédire de belles et bien bonnes choses.

Dame Ramina Rada Boujnikskaya s'est refermée comme une huître. La petite réceptionniste a couru à la cuisine préparer le café pendant que la Slave se décomposait, devenant d'un gris laiteux digne d'un suaire de seconde main. Soudain, elle a éclaté :

— La Mort. Je veux que vous parlez à moi de la Mort, MA mort que je sens ici.

Elle s'est montrée du coup plus invitante, se servant de sa voix comme d'une arme (dommage qu'elle fût aussi laide).

— Vous venir près de moi pour être plus intimes.

Elle m'a entraîné vers la grande table. Je n'étais pas encore assis qu'elle avait déjà sorti treize cartes du paquet pour les déployer devant moi. D'une main tremblante et encore plus déformée que je ne l'avais d'abord cru, elle a pigé le roi de pique et une dame de trèfle imprévue qui était restée collée à la carte choisie.

Dame Ramina a laissé échapper une longue plainte en découvrant ce couple annonciateur de tragédies insurmontables.

Elle a brandi la reine de trèfle.

— Reine de trèfle, moi ça?

Comment réagir sinon par une boutade?

— Il y a en effet une petite ressemblance.

— Et roi de pique veut pas enfoncer dague à lui dans plexus à moi?

— Il faudrait d'abord qu'il en trouve une.

J'ai tenté un rire sympathique, espérant désamorcer cette parodie burlesque.

— Arrêtez blasphémer devant comtesse Ramina Rada Boujnikskaya, première chiromancienne de toutes les Russies qui a prédit à Raspoutine fin tragique.

Elle a soupiré, usant d'une grandiloquence digne des plus grands conservatoires:

— Ahhhhhhhh, Raspoupou, tu me manques!

Ce qui laissait entendre que la tzarine Alexandra avait été cocue.

Dame Ramina Rada Boujnikskaya s'est calmée, a eu un sourire éclatant, s'est mouillé légèrement les lèvres et, après m'avoir flatté le faciès de ses mains rachitiques, a semblé troublée jusqu'à en perdre son latin, me révélant d'une voix des plus érotiques:

— En voyant annonce dans journal, j'ai eu vision de vous et parties intimes à vous. Moi vu elles plus tôt à leur réveil. Raspoupou... heu... seigneur Raspoutine mieux membré, quoique votre appareil avoir côté plus canaille.

Elle a émis, en prononçant le mot «canaille», un vibrato qui en disait long sur l'état de sa libido. Ce qui me sauvait, c'est qu'elle admettait ellemême qu'elle était laide.

— Car trop vieille et laide pour payer thérapie sexuelle de choc, suis venue vous affronter sur terrain de connaissances, moi vous félicite. Vous avez talent, vous êtes grand chiromancien, vous sentir, sans consulter mont Vénus de moi, que fin mienne est proche.

J'avais fait ça, moi?!

— Merci pour hospitalité et sages conseils. Moi, vous donnerai un dernier encore: acceptez illuminations. Un mot pour les déclencher. Acceptez. Vous obligé.

Dame Ramina Rada Boujnikskaya a ouvert grand la bouche, sorti une langue impressionnante de par sa longueur et, de la pointe, a parcouru le contour de mes lèvres, pendant que sa main trouvait le moyen de dégager une bichette tressautante, enfin heureuse d'être à l'air libre.

— Je voulais jeter à elle dernier coup d'œil.

Irina, à peine remise de son évanouissement, en voyant l'objet de son désir se faire ausculter par sa patronne, est retombée dans les pommes.

Dame Ramina Rada Boujnikskaya a lancé un billet de cent dollars sur la table, s'est approchée de moi et m'a glissé à l'oreille:

— Où mort rôde, beauté émeut.

Elle s'est retournée pour embrasser la pièce du regard et s'est écriée, bras en croix:

— *Thank you, Canada, my new country.*

Elle est allée administrer une gifle retentissante à Irina. Et, digne, dignissime, elle a ouvert la porte du Salon pour courir se jeter sous un tramway rutilant qui venait de s'engager dans la rue transversale. Irina qui, à peine debout, a vu sa maîtresse, depuis le pas de notre porte, répandre ses viscères sur les rails de la Montreal Tramways, s'est évanouie de nouveau mais, cette fois, en se cognant le crâne sur un petit marchepied de métal devant la porte de notre maison. Elle a été transportée à Saint-Jean-de-Dieu où, depuis, elle hante les corridors la nuit déguisée en roi de pique et, aux équinoxes, en dame de trèfle.

Les journaux s'en sont donnés à cœur joie.

Un voyant prédit un accident mortel devant le Salon Beauvoir et Sartre.

Une comtesse russe éviscérée par un tramway montréalais qui passait devant le Salon Beauvoir et Sartre.

Irina la naine est-elle responsable de la mort de la comtesse Ramina Rada Boujnikskaya, qui n'était que de passage au réputé Salon Beauvoir et Sartre?

Je reconnaissais bien là la générosité de nos amis journalistes qui étaient toujours très bien accueillis chez nous.

Ces seuls titres allaient attirer tous les badauds du quartier, qui se bousculeraient aux limites de Montréal-Est pour admirer le héros qui venait de conquérir la presse en ne prononçant que trois phrases banales.

Une fois, j'ai demandé à Mom de reprendre du service pour me dépanner. Je couvais une mauvaise grippe et elle a accepté de remettre la main à la pâte, si je peux m'exprimer ainsi, en se chargeant de la thérapie sexuelle de choc. Ç'a été une erreur des plus humiliantes. Mom, ayant perdu la petite étincelle dans l'œil qui avait fait son succès à l'Hawaiian Strip Club, n'a eu qu'une demande d'un client qui désirait subir les examens de routine que j'exécutais habituellement avec beaucoup d'humour et de respect.

La thérapie sexuelle dite de choc que je pratiquais avec tellement de doigté avait quand même eu droit à trois étoiles dans une critique enflammée de Francine Grimaldi, qui venait d'obtenir ses premiers contrats de journaliste pour le journal local. Elle avait A-DO-RÉ. Elle me décrivait comme le Priape des temps modernes au physique rassurant et invitant. Elle insistait notamment sur ma beauté si dangereuse, pouvant conduire aux portes des enfers le plus janséniste des bigots.

Il a été difficile pour Mom d'accoter son fils, d'autant que la critique de Francine avait été agrandie et affichée sur le mur de la cabine où j'opérais. Après s'être démis une hanche (en se déhanchant justement), Mom a écourté le numéro et l'on soupçonne le client d'avoir terminé seul la thérapie sexuelle dite de choc, en lisant et relisant le papier de Francine.

Mom a disparu dans sa chambre. Le lendemain, elle s'est levée en claudiquant.

Son idée de montrer un peu de peau s'est retournée contre nous. Les clients, tous sexes confondus, affluaient, mais la lecture du tarot, de la main et même de l'anus ne les intéressait plus. On voulait voir le phénomène: celui qui en avait tant à révéler.

On ne venait plus me consulter que dans le but de se faire annoncer, n'ayons pas peur des mots, une partie de cul avec les esprits. Quand, parfois, j'espaçais mes séances de thérapie sexuelle, l'affluence des clients baissait. L'intérêt pour toutes les autres approches ésotériques fondait comme neige au soleil. Pendant ces années, le commerce a changé souvent de vocation. D'abord voué à l'ésotérisme, il évoluait, je dirais, année après année, vers une vocation plus centrée sur les plaisirs de la chair.

Cela faisait maintenant presque dix ans que nous tenions la barre de ce club. Le sexe, pour moi, était devenu une chose tellement banale que je ressentais le besoin de mettre ma bite en jachère pendant quelque temps. Mais quand j'essayais, c'était la catastrophe. Chaque fois que j'arrêtais, ne serait-ce qu'une semaine, de faire mon numéro spécial derrière la tenture, nous perdions la moitié de notre clientèle. Même la table ne faisait plus recette. Le stratagème avait été découvert, Mom s'étant pris les pieds dans la fameuse tenture qui nous séparait du public. Elle avait atterri à six pouces de la table, micro en main, alors que le grand-père de notre cliente, qu'elle imitait deux secondes plus tôt, devenait muet de façon aussi brutale que suspecte. Une dizaine de curieux assistaient à la démonstration. Nous leur avions offert une thérapie sexuelle de choc gratuite, histoire d'acheter leur silence, et avions enlevé la table tournante de notre liste de services.

Bref, les affaires ne tournaient plus aussi bien, et Mom cherchait désespérément une solution à la débâcle imminente de notre commerce. Seul le sexe était encore rentable, affirmait-elle. En fait, elle mijotait encore des idées susceptibles de nous entraîner plus bas dans le stupre et la fornication.

Nous étions tellement perdus près des docks, loin dans l'est, que tout nous était permis. De plus, pendant ses années de show-business, Mom avait frayé avec tous les propriétaires de club qui avaient ne serait-ce qu'une entrée de garage comme bordel. Pour être plus précis, elle était aussi protégée qu'un baron de la drogue. Tout le monde l'aimait, la trouvant drôle, directe et sympathique.

Mom avait les idées; il lui manquait les moyens. Ceux-ci sont arrivés sous la forme d'un généreux héritage inattendu de madame Simone, pour qui elle avait été plus que généreuse dans le Red Light. Cet argent nous permettrait de transformer notre local en une sorte de temple dédié à ma fameuse beauté, où il serait possible de recevoir une vingtaine de personnes qui paieraient fort cher pour venir m'admirer sous toutes mes coutures. Après mûre réflexion, Mom avait conclu que j'étais devenu la seule tête d'affiche qui rapportait. Je venais justement de recevoir une offre d'un bouge infâme de la basse ville de Québec qui voulait suivre nos traces. C'était une offre difficile à refuser et le salaire faisait oublier les cafards, mais ma mère m'a supplié de ne pas l'abandonner. Il nous fallait aller plus loin, pousser les limites de l'érotisme à leur max. Le public, devenant de plus en plus pervers, était difficile à satisfaire; et Mom, ayant une âme de pionnière, a décidé de foncer, même si ses idées seraient copiées des décennies plus tard. Sans moi, elle serait obligée de capituler. Elle insistait de plus en plus, car elle sentait bien, en bonne mère intuitive, que mon narcissisme et mon exhibitionnisme finiraient par l'emporter sur mon pessimisme. Elle s'est fait confiance et a commencé les travaux.

Héritée de son père, qui jamais n'avait su ce que Mom faisait dans la vie, cette bicoque de trois étages, bien mal en point, nous avait sauvé la vie et elle allait encore le faire et prendre de la valeur. Un jour, ma mère m'a présenté un croquis de ses futures transformations.

Nous pourrions enfin avoir nos quartiers à l'étage, et les pièces du fond, au rez-de-chaussée, serviraient de loges. Mom s'installerait au deuxième et, au-dessus, le grenier abandonné serait transformé en garçonnière de luxe, où je pourrais enfin m'éclater à souhait. Ce dernier argument a eu raison des miens et j'ai donné mon aval pour le départ des réjouissances qui naîtraient de nos expériences à la recherche de la dépravation totale.

Un ingénieur, qui était aussi notre meilleur client, a vérifié la bâtisse et nous avons pu nous permettre de faire sauter une partie du plafond du rez-de-chaussée pour y installer une plaque de verre trempé où je pourrais me lover au-dessus des spectateurs et leur faire ainsi apprécier toutes les parties de mon anatomie, et ce, dans toutes les positions que j'avais retenues de mon initiation au *Kâmasûtra* dans la chambre 828 de l'hôtel Windsor.

Les travaux terminés et le nouveau spectacle à l'affiche, Francine, qui avait gagné des galons en tant que journaliste, m'a de nouveau encensé. Tout Montréal-Est est accouru. On venait de partout, même de Repentigny, pour m'applaudir; mais le public, très vite, a commencé à se plaindre de maux de dos terribles causés par cette obligation de se casser le cou pour admirer mes arabesques. Mom s'est débarrassée *in petto* des tables et a fait couvrir le plancher de matelas. En plus de contempler mes contorsions érotiques, pratiquées au-dessus de leurs têtes, les couples pouvaient désormais s'adonner aux joies du partage.

Dans sa jeunesse, Mom avait dansé dans tous les trous de la province et connu les plus grands comiques de l'époque. C'est comme ça qu'elle avait rencontré Lili St-Cyr. Elle l'avait même coachée à son arrivée à Montréal : son célèbre numéro de masturbation dans la baignoire, devant un grand miroir doré, c'était une idée de Mom. En 1967, Lili, qui était devenue une grande vedette aux États-Unis, est revenue à Montréal après une absence de presque vingt ans, à part un saut de puce en 1957. Tenant absolument à ce que je la rencontre, Mom m'a amené au Champs, rue Crescent, où son amie donnait un spectacle. Quand elle l'a vue, Lili lui a sauté dans les bras en riant et en criant :

— *Oh God, oh God, oh God, Bubble Gum !*

J'avais alors vingt-sept ans bien comptés et je ne m'étais jamais habitué au nom de danseuse de ma mère. Lili et elle se sont mises à évoquer des souvenirs. Je venais d'aller m'asseoir dans un coin lorsque madame St-Cyr, m'apercevant, s'est mise à hurler.

Ça faisait dix ans qu'elle ne m'avait pas vu. C'était le fameux soir où on avait fêté Mom, à l'Hawaiian, j'avais dix-sept ans. J'étais déjà un méchant pétard mais, depuis, j'étais devenu un vrai apollon.

Lili criait en essayant de couvrir ses seins nus avec des carrés de dentelle qui traînaient sur le bras de son divan.

— *Poor Lili*, a dit Mom en riant. *Stop trying to be prude, that so sympathic young man, Frank, he just saw you on the stage with your breast in his face.*

Ayant vécu sept ans à Montréal dans les années 1940, la star américaine parlait couramment le français, mais Mom s'obstinait à s'adresser à elle dans un anglais qu'elle parlait comme une vache espagnole. Elle estimait que c'était la seule langue digne du show-business.

Dans un grand éclat de rire, madame St-Cyr s'est levée de son fauteuil et, avançant vers moi, les tétons bien pointés, fermes et en érection, et a répliqué :

— Tu les prends pas un peu jeunes, *honey* ?

— *It's my son, for goddamn sake! Come on, Lili.*

Lili continuait d'avancer, pendant que Mom, entremetteuse, vantait mes qualités, insistant sur ma grande culture et mon charme irrésistible. Elle mettait en terre une graine qui aurait de fâcheuses conséquences.

Lili a tenté une dernière approche:

— Tu veux dire qu'il est libre, c'te beau jeune homme là? Wow! Comme dirait Mae, *come up and see me sometime*! a-t-elle susurré en jouant avec ma cravate.

Je devais la regarder d'un œil lubrique, car Mom, voulant, j'imagine, me préparer avant que je ne fasse le grand saut, est venue vers moi pour me tirer par le bras.

— *Come on*, Frank, t'auras la chance de la revoir. *Tonight is* la fermeture de l'Expo. *Mom don't want to miss that. Please, come with us, Lili.* On va te faire connaître les saucisses allemandes.

— Est-ce qu'elles parlent anglais ou français, tes saucisses?

Lili s'est éloignée pour aller se couvrir de fourrures afin de nous accompagner à l'Expo. Star oblige! Troublé, je réfléchissais.

Ses seins étaient tellement beaux que je me demandais si je n'allais pas changer d'allégeance. Et ça réaliserait le fantasme de ma mère. Elle serait tellement fière que son fils couche avec Lili St-Cyr *from* Broadway, depuis toujours la seule, à ses yeux, qui fût capable de me faire découvrir la femme.

C'est d'ailleurs à cause de ces seins-là que Lili s'est fait arrêter le lendemain, vingt-quatre heures après la fermeture de l'Expo. La visite était repartie, on allait varger. Motif de son arrestation? Elle n'avait pas mis sur ses mamelons les plugs nécessaires pour sauvegarder la morale. Fallait-il être borné. Les belles affaires, tu les montres.

Le soir de l'arrestation de madame St-Cyr, Mom, qui ne dansait plus depuis un bon bout de temps, a fait le tour de tous les clubs pour encourager les marcheuses à s'arracher, à minuit, les fameuses plugs en forme de fleur qui cachaient leurs mamelons et qu'aimaient tant le clergé et les juges. Les marcheuses, solidaires, ont toutes montré leurs mamelons le soir même, mais en l'honneur de Mom. Ce geste de protestation lui a valu d'apparaître dans les pages centrales d'*Allo Police.*

Devant repartir plus vite que prévu, Lili St-Cyr n'avait pu venir voir mon show comme elle l'avait promis. J'en faisais trois par soir, six jours par semaine. Le lundi, je reprenais mes forces. Mom et moi profitions de cette journée de congé pour festoyer seuls, discutant des choses inconcevables que nous vivions chaque semaine et brassant de vieux souvenirs. Mais, avec le temps, un autre sujet de conversation s'est imposé: il nous fallait décider ce que nous comptions faire de notre commerce. Le plafond transparent commençait à susciter moins d'intérêt. L'Expo 67 avait attiré au pays restaurateurs et nouveaux commerces. Le public se dispersait, avide de découvrir de nouvelles cultures. Je commençais à me trouver un peu vieux pour m'exhiber, la preuve en étant mes pannes à répétition.

En fait, nous frôlions la catastrophe. Nous avions désormais un baisodrome sur les bras et il fallait envisager l'arrêt des opérations, trouver une façon de nous recycler. Mom avait maintenant dépassé la cinquantaine et je la sentais usée. Il était évident que je n'en ferais pas une centenaire et nous avions fait, malgré tout, assez de sous, en plus de l'héritage imprévu de madame Simone, pour prendre une année sabbatique et songer peut-être à une retraite anticipée.

Un soir, j'ai décidé d'offrir à Mom la plus grande joie de sa vie, quitte à me détruire dans cette aventure. Pendant l'Expo, elle m'avait fait connaître les coulisses du Champs. Je lui annoncerais dès le lendemain matin que je partais pour New York faire la conquête de Lili St-Cyr. J'avais presque trente ans, j'étais résolu à découvrir la femme. À mon retour, nous trouverions une solution pour notre maison.

Runaway Girl, qui avait été la dernière prestation de Lili St-Cyr à l'écran, n'avait pas été un grand succès. Sa carrière, clamait-elle, lui avait été volée par une jeune modèle du nom de Norma Jean Baker.

Norma Jean, comme Lili, avant son entrée dans le show-business, avait posé nue pour des magazines. Elle était devenue Marilyn Monroe, et Lili lui en voudrait toute sa vie. Marilyn n'en a jamais rien su. Elle en aurait été tellement malheureuse, elle qui avait une telle admiration pour Lili. Toute son adolescence, elle avait collectionné ses photos pour qu'elles lui servent plus tard de modèles. Elle avait les gestes de Lili, certaines de ses postures aussi, et elle en avait fait, bien innocemment, sa marque de commerce.

La grande gaffe que Lili avait commise était d'être venue s'installer à Montréal, alors que Marilyn grimpait les échelons. Des amis l'avaient suppliée de revenir à Los Angeles ; ils s'inquiétaient : Marilyn allait finir par prendre sa place.

Lili répondait inlassablement :

— Elle aura jamais mes jambes.

Ce qui était rigoureusement vrai.

— Elle a un gros cul, elle va finir obèse, et sa cicatrice se voit sur les photos.

Elle n'allait certainement pas claquer d'une péritonite pour lui céder la place.

— Je fourrais avec Jimmy Orlando des Red Wings de Detroit, fallait qu'elle se trouve un joueur de baseball des Yankees de New York. Je baisais avec le président de Familex, fallait qu'elle fourre avec le premier président venu.

Bien que Marilyn nous ait quittés en 1962, jamais Lili, qui avait huit ans de plus qu'elle, n'avait retrouvé la place qui lui était due, selon elle. C'est donc une Lili St-Cyr amère et agressive que j'ai retrouvée dans la Grosse Pomme.

Par l'intermédiaire de Mom, elle m'avait donné rendez-vous à la Tavern on the Green. À mon arrivée dans le mythique restaurant de Central Park, j'ai croisé Truman Capote qui en sortait, mais je n'ai pas osé lui parler. Le film *In Cold Blood* venait de sortir et Capote était la coqueluche des talk-shows américains. Il ne mesurait que cinq pieds trois pouces. Jeune, il avait été joli, mais il supportait très mal la maturité. Il savait être bitch avec qui le méritait; il était très élégant malgré son quasi-nanisme et drôle comme un singe avec sa voix de dessin animé. Peu importait, chaque fois que je le voyais à la télé, je bandais du cerveau. Je ne sais par quel heureux hasard, mais il a été retardé à la porte du restaurant et j'ai pu vérifier la portée et surtout la raison de mon fantasme.

J'avais appris dans le sérieux *New York Time* qu'il fréquentait la princesse Radziwill, sœur de Jackie Kennedy, et qu'il avait été un copain de marche de Marilyn. Pendant qu'il attendait je ne sais qui devant le portique du restaurant, j'ai senti monter en moi cette chaleur particulière, non point celle des crises d'angoisse, mais celle qui annonçait un orgasme.

La spirale commençait à m'encercler. Le tourbillon m'enveloppait. Je paniquais. Cela ne m'était pas arrivé depuis belle lurette; mais soudain, Marilyn s'en détachait et avançait vers moi, m'invitant de ses deux mains à rejoindre sa couche. Cela m'a calmé quelque peu.

Ses doigts ont à peine effleuré mes mains que mon sexe s'est dressé à une vitesse que l'on aurait pu calculer en nanosecondes. Marilyn n'a eu qu'à descendre ses mains douces le long de mon corps pour que mes vêtements s'envolent tout autour de moi. J'ai eu un moment d'inattention et, en me retournant, j'ai aperçu Truman qui sodomisait la princesse pendant qu'elle tenait à bout de bras une photo de Montgomery Clift pour qu'il puisse bander.

Marylin a retourné doucement ma tête qu'elle a attirée vers ses lèvres pulpeuses en dirigeant ma main vers sa vulve, me faisant découvrir ma première femme fontaine. Elle s'est détachée de moi pour m'observer, les yeux à demi clos et la lèvre du bas humide et boudeuse, comme sur ses affiches. Elle s'est penchée vers mon bassin, sa bouche s'est ouverte béante et le bout de sa langue s'est agitée en se dirigeant vers ma queue qui exultait déjà. Juste au moment où cette langue gourmande allait atteindre son but, Marilyn a fait un salto arrière pour atterrir sur le matelas où, après avoir enlevé ses vêtements, elle m'a offert la pause alanguie qui l'avait rendue célèbre en page centrale de *Playboy*; et elle s'est levée, croisant ses deux bras devant sa poitrine, comme dans les premières photos de Lili, tout en chantant, coquine: «Pom pom pi dou, pom pom pi dou.»

J'en ai profité, trop curieux que j'étais, pour diriger un œil rapide vers le couple qui s'agitait derrière moi. Truman était maintenant couché sur la photo de Montgomery et geignait pendant que la princesse se masturbait doucement.

La suite s'est passée très vite. Terrorisé à l'idée d'éjaculer dans la minute, j'ai tenté de fuir et la spirale m'a encerclé de nouveau. J'étais entouré de tous les attributs de Marilyn, qui semblait vouloir sauter sur moi et me manger, quand j'ai senti une main taper sur mon épaule pendant que... ça partait tout seul, comme à douze ans. Je me retrouvais dans le portique de la Tavern on the Green, le sous-vêtement Calvin Klein souillé de mon sperme, face à une Lili St-Cyr démaquillée que je ne reconnaissais pas.

Le trajet jusqu'à son appartement de l'avenue Madison a été fort pénible. Elle semblait filer un mauvais coton. Elle était négligée. Elle n'avait pas de talons hauts et la jambe en souffrait. Je découvrais aussi que sa longue chevelure blonde en queue de cheval, qui semblait caresser ses épaules, n'était qu'un vulgaire postiche. Lili me précédait et maugréait comme si sa journée était complètement ratée. Je n'avais même pas eu le temps d'admirer l'intérieur du restaurant. Sans même remarquer le fait que je ne semblais pas la reconnaître, elle m'avait entraîné vers le trottoir et s'était mise à marcher vers son appartement, me faisant signe de la suivre. Depuis, elle marmonnait.

Heureusement, elle habitait à deux pas. L'ascenseur nous a menés au douzième étage. Je l'ai suivie dans le corridor et ensuite dans l'appartement, une fois qu'elle en a eu débarré la porte, il va sans dire.

Il n'y avait aucun meuble.

— Y a des sacs de couchage, m'a-t-elle dit en me tendant ses clés.

Je ne les ai pas acceptées. Je suis sorti de chez elle et j'ai repris l'ascenseur vers Montréal.

Mom ne semblait pas étonnée de mon retour. C'était elle qui avait téléphoné à Lili pour lui annoncer mon arrivée et celle-ci n'avait pas semblé emballée par l'idée. Mom avait bien pris soin de ne pas me prévenir, certaine que mon charme opérerait dès les premières minutes de nos retrouvailles.

— T'as bien fait de revenir.

Elle m'a tendu le *Montréal-Matin*.

— Lis à la page 32.

Un article, en bas d'une page, nous annonçait que le révérend père Louis Sanschagrin de la congrégation de la Sainte-Foi venait d'être nommé évêque en la cité vaticane. Une photo m'a fait voir qu'il avait mal vieilli. Il n'avait que cinquante ans au moment de sa nomination et en paraissait largement plus de soixante.

J'ai fixé Mom sans réaction, mais j'avais l'intérieur comme une machine à laver en train de faire une brassée.

— T'as reçu une lettre aussi.

Voilà qui était plus intrigant : la lettre venait de Rome et m'avait été adressée, il y avait de cela plus de trois ans. Je l'ai ouverte doucement et j'en ai retiré plusieurs feuilles avec une certaine fébrilité. Je les ai regardées un moment avant d'en entreprendre la lecture, me méfiant et, surtout, m'inquiétant de leur contenu.

Rome, 16 février 1964

Cher François,
J'espère que cette lettre te parviendra. Je ne connaissais
pas ton adresse et j'ai pris une chance.

J'ai vérifié l'adresse inscrite sur l'enveloppe : François Lagardère, Montréal, P.Q., Canada. Seul le timbre pouvait indiquer que cette lettre avait été postée à Rome, sans adresse de retour et, surtout, sans la mienne. Plusieurs coups de tampons recouvraient l'enveloppe. Cette lettre avait fait le tour du Québec.

Depuis notre dernière rencontre, je suis en Italie. Je fus mis dans un avion à destination de Rome le 30 mai 1955. Étant orphelin de père et de mère et n'ayant dans la vie qu'une petite Autochtone sniffeuse de colle dont les jours étaient sûrement comptés, j'étais le candidat idéal pour accepter l'offre des pères. Je compris vite, de toute façon, que je n'avais pas le choix. Je ferais ce qu'ils me proposaient. Pour éviter un procès au terme duquel j'aurais nécessairement été enfermé à l'école de réforme, je serais enfermé, mais à Rome.

Je pourrais étudier, j'aurais un précepteur qui me visiterait, mais je resterais enfermé sans aucune possibilité de communiquer avec l'extérieur. Tous les samedis, je me confesserais et, tous les dimanches, je recevrais l'eucharistie dans ma geôle. Cela me fut annoncé à un moment où je ne voulais rien d'autre qu'être seul. La barbarie du crime que j'avais commis me terrifiait. Le départ pour Rome, en fait, me réjouissait. Je partais quand même pour la Ville éternelle, lieu sacré dont je rêvais et que jamais je n'aurais les moyens de visiter. Mon premier voyage dans la ville sainte ! J'ai décidé de prendre les choses du bon côté et de considérer cette condamnation comme une aventure. Je serais le nouveau Monte-Cristo et je finirais bien par me sauver, en creusant moi aussi le sol de ma cellule. Après tout, le sous-sol de cette ville est percé comme un gruyère. Chapelles souterraines et catacombes se disputent les places. J'avais lu assez de livres d'aventures pour savoir comment m'en sortir, je pourrais me cacher dans un bac à linge sale et me laisser transporter jusqu'à la buanderie, d'où je pourrais me sauver par une fenêtre. Arrivé à Rome, j'ai découvert une tout autre réalité. J'ai mis sept ans avant de pouvoir me procurer du papier et des crayons pour t'écrire.

J'ai tellement de choses terribles à t'annoncer.

Je vais commencer par le début. Après ton départ du collège et, surtout, après que le corps du père Blondin fut découvert, Liche-Bobettes et Colosse (tu sais, ce sourd et muet qui servait d'homme à tout faire et qu'on disait idiot) vinrent m'attacher les poignets derrière le dos pour m'emmener à la cave et m'enfermer dans l'ancienne chambre, près de la chaufferie. J'étais tellement faible — on ne m'avait laissé aucune nourriture — que je n'espérais que dormir et encore dormir, mais cette nuit fut une des plus étranges qu'il m'ait été donné de vivre. Je faisais de la fièvre, m'assoupissais, faisais des cauchemars. Je ne savais plus différencier la réalité des mauvais rêves. J'entendais toutes sortes de bruits : celui des rats d'abord, couinant et grugeant le ciment de ma cellule. Du corridor me parvenaient des bruits encore plus étranges. Des rires gras parfois. Des sons perçants de scie mécanique. Une lourde porte que l'on ouvrait et refermait sans cesse avec fracas. Des pas enfin qui s'éloignaient. Un grand silence suivit et je finis par m'endormir profondément avant d'être tiré de mon sommeil par une forte émanation de fumée d'une odeur pestilentielle. Je n'eus pas le temps d'imaginer des scénarios : Colosse venait me chercher pour me traîner dans le nouveau bureau de Liche-Bobettes. C'est là que j'appris qu'en remerciement des nombreux services rendus à la communauté, j'étais envoyé à Rome.

Quelques jours plus tard, j'étais dans l'avion, accompagné de Colosse et vêtu d'une soutane de clerc, et, après avoir traversé l'Atlantique, ce qui me parut une éternité, nous allâmes atterrir dans un petit aéroport de campagne, sans douanes, quelque part en Calabre. On me fit monter dans une camionnette dont les vitres arrière étaient peintes en noir. Au bout du trajet, je me retrouvai debout face à une porte dérobée. Autour de moi, j'apercevais des colonnades, des édifices de pierres grises et je n'avais aucune idée de l'endroit où j'avais été emmené.

La cellule était confortable, il n'y avait qu'un lit, mais garni d'un matelas. Luxe inespéré dans un cachot souterrain aussi humide. Cette nuit-là, je dormis comme un loir. Je ne fus réveillé qu'au matin par un étrange moine qui m'apportait un déjeuner particulier : des retailles d'hosties et une soupane grumeleuse accompagnée d'une minuscule tasse de café, où le liquide foncé était recouvert d'une mousse laiteuse qui me fit douter de la fraîcheur du produit. Je la repoussai et j'eus droit, par la suite, à un verre d'eau chaude tous les matins. On m'avait pourtant dit que le café était excellent à Rome.

Le précepteur (cela ne pouvait être que ce moine) me regardait manger comme si j'étais une bête curieuse. Au moment où j'espérais que les leçons commencent, il quittait ma cellule sans même me saluer. Il était 11 h 45. Je pouvais entrevoir une grosse horloge derrière le barreau de ma meurtrière. Colosse, qui semblait devoir rester ici à demeure, vint dans ma cellule et, après m'avoir bandé les yeux, m'entraîna vers un escalier en colimaçon. Chose étonnante de ce bourreau de passage, il était d'une extrême politesse avec moi et attentionné en plus. Cinq minutes plus tard, j'étais assis dans un fauteuil très confortable. On me retirait mon bandeau, et je constatai que devant moi, derrière un pupitre, était assis le révérend Louis Sanschagrin.

J'ai levé les yeux de la lettre, sentant remonter en moi toute la rage que j'avais réussi à maîtriser. Je savais que j'aurais à affronter de nouveaux malheurs.

Je suis allé me blottir contre Mom pour continuer ma lecture, lui refilant les premières pages.

Remercie le ciel que ce monstre t'ait quitté. Il ne vit que pour sa mère, tout aussi monstrueuse que lui, et les honneurs qui l'attendent. Dans à peine quelques années, il sera prince de l'Église.

Colosse, que tout le monde considérait comme un imbécile, un taré devant qui l'on pouvait tout dire sans censure, était mandaté par Liche-Bobettes, qu'il détestait, pour nous espionner. Ce géant était au contraire un gars brillant qui jouait très bien son jeu et me rapportait tous les ragots qu'il entendait aux quatre coins de l'édifice où j'étais confiné. J'étais un thaumaturge, se plaisait-il à me répéter : en ma présence, il avait retrouvé l'usage de la parole.

La mère de Sanschagrin venait de s'acheter un appartement sur la Piazza Navona, lieu mythique fréquenté par presque toutes les robes rouges du Vatican. Des garçons beaux comme de jeunes dieux (même toi, François, en aurait rougi d'envie) se groupaient autour des trois fontaines pour aguicher la clientèle.

Mamie Sanschagrin faisait du bon travail : elle avait même offert ses faveurs (qu'il s'était empressé d'accepter, d'ailleurs) au cardinal Giancarlo Senzadolore qui avait charge de proposer au bon pape Paul de nouvelles candidatures à l'épiscopat. Mais laissons de côté cette horrible maquerelle et parlons plutôt de son rejeton.

C'est une ordure.

Au collège, presque tout le monde était au courant de votre aventure et, pour éviter le scandale, il avait accepté de se faire muter à Rome, exigeant toutefois qu'un jeune secrétaire lui fût attaché.

Je fus désigné par Liche-Bobettes pour devenir cet esclave sexuel, car c'est bien de cela qu'il était question ; et toi, tu étais trop intelligent, trop cultivé pour rester entièrement sous sa coupe.

Il n'était là que depuis quelques jours quand on m'emmena dans son bureau. Il fut aussi surpris que moi de me voir. Il fut ignoble dès les premières minutes. Il ne comprenait pas que Montréal lui eût envoyé un assassin. Il connaissait tout du drame, Liche-Bobettes s'étant fait un malin plaisir de lui téléphoner, dès son arrivée, d'abord pour le remercier de ce magnifique bureau qu'on lui avait cédé et qui respirait le sexe et la luxure, et lui annoncer une bien triste nouvelle : la mort atroce de son bon ami le père Blondin. Il avait terminé son appel en lui confirmant que mon cas serait jugé sévèrement et que je serais probablement emprisonné en Gaspésie.

« J'espère que tu baises aussi bien que François, me dit d'emblée Sanschagrin. Quant à ton membre, Blondin m'a déjà dit qu'il était normal, sans plus. »

Et il me raconta toutes vos expériences sexuelles. Il m'invitait à me masturber pendant qu'il me parlait de toi, mais il tenait à me rassurer : il n'avait pas recommencé à boire. Il ne ferait que me sucer ou m'enculer quelques fois dans la semaine, et il me fallait accepter l'idée qu'il te décrierait. Il n'y avait que toi qui pouvais le faire bander. Je n'étais pas à la hauteur. Il lui faudrait de l'aide pour arriver à jouir de ma présence. J'étais beau, mais pas de quoi tomber en pâmoison. Je n'avais aucun sex-appeal et surtout je n'avais pas ta culture. C'est ce que je l'entends me répéter depuis bientôt sept ans. Il n'a jamais pu m'enculer. J'avais dû subir une opération dans un petit hôpital de Calabre. Blondin m'avait complètement déchiré. J'ai maintenant un bel anus artificiel. Excuse mon ironie.

Je me suis donc fait sucer mille cent quatre-vingt-douze fois et, chaque fois, j'ai eu droit à une nouvelle description d'une des parties de ton corps.

Je n'ai jamais pensé me débarrasser de lui, je n'en avais plus la force.

J'ai vieilli, François. J'ai perdu mes cheveux, tu ne me reconnaîtrais pas.

Je voulais que tu saches.

J'espère te revoir un jour.

Je t'aime.

Julien d'Essanges

Je l'aimais, moi aussi, et j'allais le venger. J'ai tendu les dernières pages à Mom, couverte de larmes.

Elle en a profité pour me donner son premier avis à travers ses sanglots :

— On devrait partir pour Rome. On va aller y arracher les couilles, à ton malade mental, pis les faire bouillir à p'tit feu de son vivant.

Elle s'est replongée dans sa lecture après avoir poussé un gros soupir de douleur.

Et je suis parti pour ma chambre, où je suis allé m'étendre et pleurer doucement.

J'ai relu vingt fois cette lettre écrite déjà trois ans plus tôt, essayant de découvrir un message, une quelconque phrase qui pourrait aiguillonner mes recherches.

Sanschagrin était parvenu à ses fins. Qu'avait-il fait de d'Essanges? L'avait-il laissé pourrir dans son cachot?

Ce Colosse m'intriguait. Je me souvenais vaguement de lui arpentant parfois les corridors de l'externat l'air hagard. Qu'il soit encore à Rome ou qu'il soit revenu ici, c'était lui qui aurait dû me rechercher. Je me voyais mal appeler la police et essayer de lui expliquer que je n'avais qu'un surnom, que cet individu, qui semblait diminué mentalement, était en réalité d'une intelligence remarquable. Devais-je, également, faire part aux autorités de mes soupçons quant à la chambre aux fournaises? On rirait de moi. Un crématorium digne de pratiques moyenâgeuses sur l'île de Montréal. Quel idiot me croirait? D'autant plus que j'avais un dossier à Saint-Jean-de-Dieu. On m'inviterait certainement à y retourner.

Quelques jours plus tard, Mom est venue frapper violemment à ma porte en criant, nerveuse:

— Coudonc! Le facteur doit avoir un kick sur toi. T'as encore une lettre! Dérange-toi pas, je la glisse sous la porte.

La lettre, cette fois, était en provenance de Montréal. Il y avait mon adresse, mais aucune adresse de retour.

> *Cher monsieur*
> *Je cherche à vous rejoindre depuis un an et j'ai enfin eu votre adresse personnelle grâce à l'indiscrétion d'une journaliste du Montréal-Matin. J'espère d'abord ne pas vous importuner.*
> *En 1937, j'avais treize ans et je me dois de vous raconter, en quelques lignes, un épisode malheureux que j'ai vécu. J'ai été témoin de choses, je vous préviens, difficilement crédibles.*

J'ai vu des gens transportant des corps d'enfants vers un
gros incinérateur dans lequel on les faisait brûler, en
même temps que les ordures.
Ils m'ont surpris et j'ai dû payer tout de suite pour mon
indiscrétion. Ils m'ont violé à répétition. Pour y parvenir,
ils m'avaient mis la camisole de force et c'est dans
l'ascenseur, après qu'il eut été bloqué, que ça s'est passé.
Quand j'ai couru au bureau du directeur, il m'a d'abord
giflé. Tout ce que j'avais réussi à faire, c'était de l'exciter.
Le soir même, alors que je venais de m'endormir, il est
venu me réveiller pour m'embrasser bouche à bouche et
me masturber.
Ce directeur s'appelle Ernest Langevin, vous le connaissez!
S'il vous plaît, venez me rencontrer au carré Saint-Louis un
soir vers sept heures. J'y habite un banc.
Je suis très grand, très chauve, très costaud et j'ai une
cicatrice au front suite à une lobotomie.
Colosse

Je me suis mis à courir dans toute la maison pour crier ma joie à
Mom et lui annoncer la bonne nouvelle. Mais que faire de cette patate
chaude? Nous avions eu l'Expo 67, et le Québec évoluait à une vitesse
folle, mais il était encore impossible de raconter ces horreurs au bon
peuple. Quant aux autorités ecclésiastiques, le cardinal Paul-Émile
Léger venait à peine de partir: il était encore trop tôt pour faire bouger
les mentalités à ce point.

Dans la pensée populaire, même si les églises commençaient à se
vider, des prêtres bénis de Dieu n'auraient jamais pu faire de telles
horreurs. Nous serions accusés de diffamation, d'atteinte à la réputation et, avec le métier que je pratiquais, je n'avais aucune crédibilité. Il
nous faudrait des preuves béton pour nous faire seulement entendre.

Je serais assis sur le banc de Colosse le soir même à sept heures
précises. Même si je redoutais les terribles choses qu'il allait
m'apprendre.

Je l'ai trouvé rapidement sur son banc. Il semblait respecté de tout son entourage. Les passants le saluaient comme s'il faisait partie du paysage. Je suis allé m'asseoir près de lui; nous nous sommes souri poliment, mais aucun ne semblait vouloir prendre la parole. Je me suis décidé à aborder le sujet qui m'angoissait le plus:

— Si vous êtes ici, c'est que vous n'avez plus à vous occuper de Julien d'Essanges, j'imagine.

Il a levé les yeux vers moi et je sentais une grande tristesse dans son regard. Il n'a même pas eu à prononcer un seul mot. C'est moi qui ai posé la question:

— Comment Julien nous a-t-il quittés?

— Cancer du colon.

— A-t-il souffert?

— Oui, mais surtout de ne pas avoir pu vous revoir pour vous parler.

Nous étions tétanisés par la douleur. Après un long moment de lourd silence, il m'a demandé:

— Pendant ces trois dernières années, avez-vous essayé de me trouver?

— Je ne connaissais même pas votre nom. J'ai reçu la lettre de Julien il y a seulement quelques jours.

— Contentons-nous, alors, d'apprécier la chance que nous avons eue qu'elle se soit enfin rendue.

— En effet!

Je n'avais plus le goût de parler. Seule l'image de Julien, celle que j'avais gardée de lui, revenait me hanter sans cesse; et quand je levais les yeux vers Colosse, je le sentais au bord des larmes. Je savais que nous ferions mieux de pleurer un bon coup, avant de pouvoir communiquer à nouveau.

Comme s'il m'avait entendu, nous avons éclaté en sanglots tous les deux en même temps, au moment où une touriste timide s'approchait de nous pour demander un renseignement. Elle s'est mise à pleurer avec nous, mais est partie rapidement sans poser sa question.

Le calme revenu, j'ai plongé. Je voulais en savoir plus.

— Où le nouvel évêque se trouve-t-il?

— Il est retourné en Gaspésie, dans le pensionnat où il avait commencé à enseigner.

Prince de l'Église, Sanschagrin était allé s'enfermer dans ce pensionnat au fin fond de la province! Sa mère, qui recherchait tant les honneurs, ne s'était-elle pas ouvert les veines?

— Je suis resté quelque temps, et j'ai quitté Rome après la mort de Julien. Je n'avais plus aucune raison d'être là. J'avais tout fait pour avoir cette responsabilité. Après ce que j'avais vécu, je voulais le protéger et le défendre. J'ai bien mal réussi ma mission. Et je préférais retrouver mon carré Saint-Louis. Je voulais fuir à jamais les corridors souterrains, sordides et humides de la cité vaticane.

— Qui est Ernest Langevin?

— Liche-Bobettes. Quand je suis entré à l'orphelinat, en 1937, c'était lui qui en était le directeur. Mais, plus tard, l'orphelinat a fermé et, quelques mois après, c'est devenu un externat. Liche-Bobettes a été rétrogradé portier.

— Je n'avais même jamais prononcé son vrai nom, je ne l'ai jamais su, et n'ai pas cherché à le savoir.

J'essayais de comprendre. Donc, Liche-Bobettes tirait les ficelles. À quel point était-il important dans cette organisation? J'ai tourné la tête vers Colosse:

— Dans votre lettre, quand vous faites allusion à un incinérateur...

— Je parle de la chambre aux fournaises que vous connaissez très bien. Là où j'ai moi-même fait brûler le corps de Blondin. De 1924 à la fin des années 1940, l'externat avait été un orphelinat. Un laboratoire. Un centre de recherche sur les maladies infantiles, surtout celles du comportement. Ce lieu de torture, n'ayons pas peur des mots, est devenu par la suite l'Externat classique de la Sainte-Foi.

— Cet incinérateur serait donc la seule preuve que nous ayons présentement si nous voulions porter une accusation?

— Oubliez ça. Il y a trois ans, on a décidé d'agrandir le collège, et la chambre aux fournaises a disparu sous les chenilles d'un bulldozer.

Je repensais à l'autre. La rage venait de remonter à la surface:

— Sanschagrin est en Gaspésie depuis combien d'années déjà?

— Presque deux ans. Il a quitté Rome six mois après la mort de Julien.

— Il a eu le temps de faire de nouveaux ravages, j'imagine…

— Surtout qu'après la mort de Julien, il s'est remis à boire. C'est aussi une des raisons qui m'ont décidé à partir. Il n'était plus le même homme. Je n'avais jamais vu un être humain aussi allergique à l'alcool. Et comme je continuais, ne l'oublions pas, à faire semblant d'être sourd et muet, je pouvais difficilement essayer de le conseiller.

— Et votre lobotomie?

— Un étudiant en médecine devait en faire l'expérience. Je passais dans le corridor, j'ai été désigné.

Je voulais en savoir trop; nous passerions la nuit sur le banc. Je l'ai donc invité à la maison. Il a accepté avec plaisir, à condition que nous poursuivions notre enquête. Nous sommes partis à pied et nous avons pleuré et ri pendant qu'il me racontait le destin tragique d'un jeune homme que j'avais au départ très mal jugé.

J'ai oublié de mentionner que Colosse était très beau. Surtout ses lèvres charnues qu'il avait héritées d'un père haïtien. Il n'avait pas la peau foncée et son nez était plutôt droit. Les seules choses qui pouvaient nous mettre la puce à l'oreille quant à ses origines étaient ses lèvres et ses fesses, d'autant plus qu'il n'avait pas de cheveux. Quant à l'autre détail qui fait la réputation des Noirs, je me suis abstenu de vérifier. Il était clair que cet homme n'était pas de la même «religion» que moi. Ce que j'ai toujours respecté.

Lorsque je l'ai présenté à Mom, j'ai senti un parfum de phéromones très agitées tournoyer autour d'elle. Il y a eu entre ces deux êtres un coup de foudre digne d'un roman Harlequin.

Elle m'a révélé, quelques jours après cette rencontre imprévue, ce qui l'avait le plus chavirée:

— Ah, mon homme, la cicatrice de sa lobotomie! Je serais prête à m'en faire faire une, tellement c'est sexy. Pis on a à peu près le même âge.

Et elle a éclaté d'un grand rire que j'avais entendu moins souvent les derniers temps.

Mom m'a appris des choses étonnantes sur Colosse. Ses parents étaient pauvres. Ils étaient morts dans un accident alors qu'il était très jeune. Colosse avait été confié au bien-être social et élevé par deux femmes exceptionnelles qui l'avaient éduqué du mieux qu'elles avaient pu. La plus vieille, une mémé sympathique du nom d'Évelina, n'était jamais allée à l'école, occupée qu'elle était à torcher ses frères et sœurs dans un rang reculé de l'Abitibi. Elle vivait maintenant avec sa fille dans les quatre pièces d'un taudis du Centre-Sud bien décoré grâce au talent d'Évelina qui donnait dans la courtepointe : il y en avait partout.

Yvette ne désirait aucunement se marier, voulant partager sa vie avec sa mère, qu'elle idolâtrait. Cette dernière était bien triste à l'idée de ne pas avoir de petits-enfants. Qu'à cela ne tienne ! Elles accueille-raient chez elles ce qu'on appelait à l'époque les « enfants du bien-être social ». Elles avaient pris la décision, très sérieuse pour elles, de devenir missionnaires ! En ville.

Elles hébergeraient, au fil des années, une quarantaine d'enfants séparés de parents trop jeunes, trop alcooliques, trop violents. La plu-part d'entre eux avaient été battus ou abusés. Colosse faisait partie de ces chanceux dans leur malheur qui avaient atterri chez Évelina et Yvette.

Malheureusement, les enfants qu'elles recevaient ne pouvaient res-ter chez elles plus de six ans. Ils étaient ensuite envoyés dans des pen-sionnats afin de commencer leurs études. Yvette et Évelina étaient déchirées chaque fois que partait un de leurs protégés chéris.

Pour Colosse, dont elles étaient carrément amoureuses, elles se battaient chaque année avec les responsables du bien-être social, inventant toujours une nouvelle raison pour pouvoir le garder. Le dos-sier était alors déposé pour étude, et elles venaient de gagner une année.

Elles avaient décidé de payer les études de Colosse et l'avaient inscrit au jardin d'enfance.

Mais, quand il avait atteint ses treize ans, après six ans de dossiers et de pourparlers, les autorités avaient décrété que Colosse quitterait son foyer d'accueil pour aller au collège, Évelina et Yvette ne pouvant l'adopter. La première était trop vieille et la deuxième, célibataire. Colosse irait donc dans un pensionnat et c'est là qu'il tomberait entre les pattes de Liche-Bobettes, alors directeur de l'institution, avant d'être rétrogradé portier quelques années plus tard pour des raisons inconnues du commun des mortels.

Yvette et Évelina avaient dû signer un papier. Elles ne sauraient jamais où Colosse avait été emmené et elles ne devaient même pas essayer de communiquer avec lui. Lui, de son côté, se devait de les oublier afin de ne pas nuire à ses études.

Quand Colosse était parti, tout le monde pleurait : il était la coqueluche de tous les chambreurs et tapineuses du coin. Juste avant qu'il embarque dans l'ambulance, Yvette avait réussi à lui donner un dernier conseil :

— Si jamais y a quelqu'un qui te touche, défends-toi par n'importe moyen, et surtout pardonne pas, venge-toi !

Après ses premiers viols, quelques jours après son arrivée, Colosse avait déjà mis instinctivement ce conseil en pratique. Pour se protéger, il avait d'abord décidé de ne plus jamais parler. De toute façon, il n'avait pas ouvert la bouche depuis son arrivée. Il jouerait le retardé qui pouvait à peine s'exprimer. Il était allé à l'infirmerie en gémissant et avais remis à l'infirmier une feuille de papier griffonnée où il exprimait ses inquiétudes face à une surdité qui progressait de jour en jour. On ne l'avait jamais examiné et son pari était gagné. De plus, à treize ans, il n'en finissait plus de grandir et de forcir, ce qui le mettait à l'abri de ces nombreux prédateurs qui s'en éloignaient plutôt, tellement il devenait imposant.

Comme on le croyait inapte à étudier, il était devenu le larbin des autorités qui abusaient quand même de lui en lui faisant faire le ménage, les courses, etc. Jusqu'au jour où il avait eu une promotion qui l'avait emballé. Il était devenu serveur pendant les rencontres intimes entre moines de différentes institutions, mais de même orientation sexuelle, qui se rencontraient très souvent le dimanche soir après les vêpres. Ils venaient potiner avec le bon père Ernest qui servait les alcools les plus fins et faisait circuler à la ronde des photos que Colosse n'avait jamais vues, mais dont il se doutait du contenu à entendre les soupirs lubriques qu'elles provoquaient.

Plus personne ne se méfiait de Colosse. Tous racontaient les pires insanités devant lui. Il écoutait attentivement et retenait toutes les anecdotes compromettantes et révélatrices d'une débauche érigée en système. Ce qui le dégoûtait le plus, c'étaient les descriptions détaillées qui étaient faites des nouveaux arrivants et les gageures qui étaient prises quant à l'apparition des premiers signes de leur homosexualité. Un jeune hétéro n'était pas nécessairement épargné, surtout s'il était beau ou bien membré. Les douches étaient sous surveillance constante à la recherche d'un nouveau trophée, mais l'approche était plus facile avec un jeune désigné dès la naissance pour combler les désirs des hommes, de robe particulièrement.

Colosse suivrait le conseil d'Yvette à la lettre: il ne pardonnerait jamais et, plus tard, il se vengerait. Il avait tout son temps.

À peine quelques jours après l'arrivée de notre nouveau locataire, Mom est entrée en trombe dans ma chambre.

— Prépare-toi, mon homme. Colosse et moi, on se marie. Ça fait depuis ta naissance que je te cherche un père digne de toi.

— Mais, Mom, tu crois ni à Dieu ni à diable, tu vas quand même pas aller te marier à l'église?

— Penses-tu que j'vais aller faire une folle de moi en descendant l'allée d'une église, habillée en blanc, un bouquet de fleurs à la main, précédée d'une armée de petites monstresses déguisées en bouquetières? Je vais les avoir étripées avant d'arriver à l'autel, tellement que je trouve ça laite, des bouquetières. Non, non, on va faire ça icitte dans la plus grande intimité, pis c'est toi qui vas être l'officiant. Je veux un mariage païen où on va invoquer les sorcières, les druides, les revenants, et Colosse va nous ajouter un peu de vaudou là-dedans. J'aimerais juste inviter Libo, j'm'en ennuie tellement, et Francine, qui a tellement dit des belles choses à ton sujet dans le journal. Ça va la ravir et Colosse a jamais vu ton numéro.

— Mom! Colosse fait pas partie de la confrérie de la grande jaquette.

— Pis? Ça l'empêche sûrement pas d'apprécier les belles choses et ça va être bientôt ton père après tout. Pis en tant que semi-noir, il sera pas étonné par la grosseur de ton engin.

Elle s'est mise à réfléchir soudainement.

— Je ne sais pas, par contre, quand on est juste semi-noir, si les gènes qui produisent les quéquettes sont aussi efficaces. J'ai pas vérifié encore. J'ai décidé de faire les choses dans les règles, c'te fois-ci.

— Et pourquoi Francine?

— Coudonc, m'écoutes-tu? Je viens de te le dire. Elle t'admire tellement! Tu lui feras profiter de l'apothéose finale. J'avais pensé inviter Lili aussi, mais de la façon que tu me l'as décrite, elle fittera pas dans le paysage.

— Je vais faire ce que tu veux, mais avant je veux faire du troc : Mom, tu vas partir en voyage de noces.

— J'y songeais, mais pourquoi ça urge, là ?

— J'aurais besoin que tu fasses ton voyage de noces à une place bien particulière, en Gaspésie.

— Qu'est-ce que tu veux que j'aille faire en Gaspésie ?

— Aller surprendre Sanschagrin et trouver les preuves nécessaires pour le faire arrêter.

Elle s'est levée d'un bond, décidée :

— Pas de problème. On part tu suite.

Mais, se ravisant :

— Ben oui, mais pourquoi tu y vas pas, toi ? Je le connais pas, cet homme-là, moi.

— Mom, un gars avec une mitre sua tête, ça court pas les rues. Pis inquiète-toi pas, t'es avec Colosse, il en sait une pis une autre sur ce dossier-là. Moi, je pourrais être plus utile en allant fouiner du côté de l'externat.

— Es-tu fou, mon homme ? Tout le monde était bandé sur toi, ils te connaissent comme Barabbas dans la Passion. Et Colosse en Gaspésie... Sanschagrin va le tuer. Encore pire, y peut essayer de l'enculer.

— Y recevrait un méchant coup de poing sur la gueule. Demain matin, on en parlera calmement avec lui.

Mom, qui avait décidé de se rasseoir, s'est encore levée d'un bond :

— Ça sert à rien d'en parler calmement avec Colosse, on va régler ça tu suite. Direct là. Je sais ce que je veux et je vais commencer par te dire de quoi qui va t'faire ben plaisir. J'ai revu toute la comptabilité. Et sans trop fourrer le fisc, on a fait la passe ! Alors, demain matin, on va acheter une roulotte de grand luxe avec deux chambres — on l'a méritée, on a travaillé assez fort —, pis tu pars avec nous autres.

— Mom ! C'est vot' voyage de noces.

— C'est intéressé, mon offre : tu vas conduire pendant qu'on va faire des enfants, pis laisse-moi te dire qu'on a du temps à r'prendre.

— Je sais pas conduire.

— En conduisant, tu vas finir par apprendre.

Mom n'a jamais été capable de joindre Libovitch, et Francine Grimaldi était dans l'impossibilité d'accepter notre invitation: elle couvrait une pièce d'un nouvel auteur québécois, Michel Tremblay, au Théâtre du Rideau Vert. La pièce n'était pas encore à l'affiche et c'était déjà *the talk of the town.*

Comme toujours, Mom s'était déjà fait son opinion. Pour elle, seul monsieur Grimaldi savait faire du théâtre et elle s'imaginait ses propres pièces d'après ce qu'elle entendait à la radio. Dans ce cas précis, elle avait suivi une table ronde avec Wilfrid Lemoine et des intellectuels qui avaient de grandes réserves sur la pièce de Michel Tremblay, qu'on avait lue publiquement pour la tester. Buissonneau et Languirand voulaient la monter, mais quinze personnages en scène coûtaient beaucoup de sous et ces petites compagnies n'en avaient pas. Denise Filiatrault avait insisté auprès des directrices du Rideau Vert, Yvette Brind'Amour et Mercedes Palomino. Et c'est rue Saint-Denis que ces bonnes femmes de la rue Fabre étaient allées régler leurs comptes.

— Apparemment, d'après les bruits qui circulent, ça marchera pas.

Connaissant la verve de ma mère, et surtout sa phénoménale imagination quand elle était en grande forme, j'ai voulu en savoir plus:

— Pourquoi ça s'annonce aussi mal?

Mom ne s'est pas fait prier:

— Paraîtrait-il que c'est très vulgaire. Ça se passe dans un fond de cour, y a un frigidaire tout crotté su'l'stage, ils battent une vieille femme dans sa chaise roulante, ils rient de la religion, les costumes sont ben cheap, les décors on en parle pas, y en a une qui veut se faire avorter, une autre qui pète plus haut que l'trou, une autre encore qui méprise son mari pis qui le traite de «maudit cul», ça sacre comme le beau verrat, y en a même une qui ose monter sur la scène avec, tiens-toi ben, ses bigoudis su'a tête et, pour couronner le tout, le pire, à la fin...

Mom était fédéraliste.

— ... ils rient du *Ô Canada*, verrat! Et en plus, c'est écrit en joual.

Je savais déjà qu'il y avait controverse:

— En joual! L'affaire du frère Untel, là?

— Une nouvelle langue qui nous rabaisse apparemment. Ce serait un mélange de vieux français, de langage de taverne, de slang américain, de patois de Saint-Malo et d'anglais de la Canadian Steamships.

— C'est quoi, le titre, déjà?

— Ça s'appelle *Les Belles-Sœurs*, c'est pas sexy sexy comme titre. C'est l'histoire d'une femme qui gagne un million de timbres Gold Star. C'est toute! *Niet, period, nada.* Où est-ce que l'auteur va aller chier avec ça? Bravo l'intrigue! En plus, quinze femmes sur scène. Le public de bingo va s'ennuyer rare. Ils auraient pu trouver un p'tit rôle à Jean Coutu, pour que les femmes se répandent un peu. Quant au metteur en scène, un dénommé Savard, je pense...

— Brassard, Mom.

— Arrête de m'interrompre dans mes histoires, tu brûles mes punchs. Pis on s'en crisse-tu assez, comment y s'appelle! Ça fera jamais de carrière, un pouilleux comme ça. Il est encore plus crotté que le frigidaire. Y a pas vingt ans: c'est un inconnu. Un beatnik qui fait du théâtre contemporain dans des fonds de ruelle de la rue Papineau. Je sens que ça va être très expérimental. Y va ben y avoir du monde tout nu en collants, certain, jamais je croirai.

— Depuis quand, que tu lèves le nez sur le monde tout nu?

— Je lancerai pas la première pierre, j'ai rien contre les tout nus, mais pas en collants. Pis les grands théâtres classiques, c'est pas la place pour se montrer le cul, câlice de ciboire trempé dans marde!

— Mom, où est-ce que t'es allée chercher ça, ce sacre-là? C'est donc ben vulgaire!

— VULGAIRE?! C'est not' patrimoine, ils l'ont dit à Radio-Canada. Chuis tannée de sacrer straight. J'ai l'intention de mettre un peu de couleur dans ce domaine-là, à l'avenir. J'veux renouveler l'genre. Not' culture se perd, stagne, périclite et s'embourgeoise. Elle est exsangue de sève créatrice. Ça aussi, j'l'ai entendu à Radio-Canada à matin. Si on fait pas notre part pour sauver la langue, on va se faire avoir par les Américains. Ben oui, le patrimoine! J'vais faire mon effort, fond de ciboire trempé d'hostie.

Elle s'est presque félicitée, tellement elle était fière d'elle.

— Pis pour en finir avec *Les Belles-Sœurs*, j'irai pas les voir, j'haguis déjà ça. Chuis pas capable d'encourager ça, du monde qui suit pas les règles établies, saint sacrament de pisseuses en rabette.

Elle a retrouvé le sourire tendre qu'elle affichait quand elle évoquait quelqu'un qui avait travaillé avec elle à l'Hawaiian.

— Fais-moi penser, mon homme, faut que j'attende ma petite Chinoise. Je lui ai commandé un gâteau de noce, trois étages, arrosé de Grand Marnier. Tu sais qu'elle s'en va sur ses vingt-huit ans ? Belle comme le jour. Faut dire qu'y ont pas de mérite, ces Chinois-là. Ils ont des face-lift naturels dès la naissance, c'est pour ça qu'y ont les yeux tout' tirés. Je devrais aller faire un tour par là, moi, faudrait que je me fasse ravaler la façade. Pis les balcons. Après ton père, tout de suite après ma première grossesse, qui se trouve à avoir été ma dernière, j'voulais pus rien savoir, j'ai mis une croix sur le sexe. T'avais eu ben de la visite avant de débarquer par exemple, mais...

Elle s'est arrêtée de parler ; elle semblait avoir eu une révélation.

— C'est ben pour dire. C'est en jasant qu'on devient jaseron et qu'on répond aux grandes énigmes de l'existence. On se posera pus la question au sujet de ton attirance pour le sexe fort et les grosses pointures, c'est juste ça que t'as eu dans la face, des queues, pendant neuf mois. Pis pas n'importe lesquelles. Mom a toujours été difficile. C'est pas pour rien que t'es amanché comme un âne. Bon, me v'là coupable de ta fefiserie en plus. J'essaierai de faire mieux la prochaine fois. Pour l'instant d'à c't'heure, on va aller préparer la cérémonie. Ç'a l'air de rien comme ça, mais je me marie, hostie de bite de curé entourée de bacon !

L'après-midi tirait à sa fin. Mom rayonnait. C'est à ce moment que Colosse, déjà prêt, a fait son entrée dans le salon. Il s'était loué un pingouin chez Classel. Il s'est approché de Mom, amoureux, et après avoir posé sa tête sur la sienne, il l'a tendrement embrassée dans le cou. Mom, en minaudant:

— Tu m'as frôlée avec ta lobotomie. Fais attention, tu l'sais que ça m'excite.

Sans attendre de réaction de son Colosse adoré, elle est revenue à moi:

— Bon, y est quelle heure donc là?

— Six heures.

— C'est à quelle heure déjà, la cérémonie?

— À huit heures.

— Tu penses vraiment que j'vais attendre deux heures? Y a pas un maudit invité qui a accepté de venir. C'qui fait, mes chers enfants, qu'on va tout de suite procéder. On a un voyage de noces au programme demain.

Colosse, vraisemblablement, n'était pas au courant.

— On part en voyage de noces? Où? Chut, chut... dis-moi-le pas, j'vais deviner. À Niagara Falls?

La réponse négative n'a pas tardé:

— Sont fermées au mois d'août: faut qu'y fassent un backwash. Non, on s'en va fourrer notre nez dans des affaires qui nous regardent pas... Chut, je te raconterai en chemin. Faut commencer la cérémonie.

Tout à coup, elle a semblé étonnée en me regardant.

— *Come on*, Franck, commence à te déshabiller.

J'étais dépassé. Quelles raisons trouverait-elle encore pour que je me mette tout nu? D'une voix larmoyante qui nous empêchait toujours de lui refuser quoi que ce soit, elle a insisté:

— Comme tu veux pas danser après la cérémonie, au moins, tu pourrais nous bénir en jackstrap.

— J'pense que ce serait déplacé.

Elle n'a pas tardé à retrouver toute la force de sa voix:

— C'est un mariage païen, bout de viarge!

J'ai rapidement enlevé pantalon et chemise; j'avais déjà mon jackstrap. Je ne prenais pas de risques, ne sachant jamais quel client pouvait se présenter sans rendez-vous. Depuis la fermeture de la boîte, j'en faisais encore quelques-uns en privé, histoire de ne pas perdre la main.

Pendant ce temps, Mom a tiré sur la nappe de dentelle qui habillait la table et s'en est fait un voile de mariée. Elle nous a entraînés au deuxième, où nous avions installé un podium. Le micro était déjà là.

Semblant inquiète, elle m'a demandé:

— Frank, as-tu monté du riz? J'voudrais que tu nous en garroches.

— Je vous en garrocherai quand vous partirez en voyage de noces.

Je suis monté sur le podium, et les futurs époux se sont approchés, face à moi. Après les *one-two-three-testing-testing* d'usage, j'ai posé la première question à la ronde:

— Est que quelqu'un dans l'assistance s'oppose au mariage de nos tourtereaux?

— Y a personne, sacrament.

Elle a quitté son fiancé et s'est avancée pour me parler dans les yeux:

— François, coupes-en des bouts. Je suis fatiguée.

Et elle s'est penchée pour me chuchoter à l'oreille:

— Mom a hâte de se faire mettre.

Je n'ai pas perdu de temps pour sauter au plus important. Je lui ai fait signe d'aller rejoindre son futur époux et j'ai plongé:

— Madame Mom Lagardère, acceptez-vous...

— François, franchement... Mom!

— Ça fait vingt-huit ans que je t'appelle « Mom », j'me souviens même plus de ton vrai prénom.

— Hortensia. J'comprends que tu l'avais oublié.

J'ai repris un ton cérémonial comme à l'église:

— Madame Hortensia Lagardère, acceptez-vous de prendre pour époux le dénommé Coloss... Au fait, Colosse, j'ai jamais su ton vrai nom, toi non plus.

— Tu le sauras bien assez tôt.

Mom, de plus en plus énervée:

— Pis saute donc ces questions-là, c'est à croire qu'on va te dire non.

Le carillon de la porte s'est fait entendre.

— Ah, pis ça sonne à porte, c'est ma petite Chinoise, c'est le gâteau. Tu sais quoi, mon homme, bénis-nous pendant que je descends.

Elle s'est précipitée dans l'escalier, suivie de Colosse et de moi criant à la cantonade:

— Vous êtes unis par les liens du mariage jusqu'à ce que mort s'ensuive.

— On verra ben, m'a crié Mom du bas de l'escalier.

Le lendemain matin, alors qu'on préparait les valises avant de partir acheter la caravane, Mom m'a tenu un discours qui avait des airs de testament:

— Veux-tu, je vais te dire, mon homme, j'suis ben fière de nous autres. Pendant plus de dix ans, on a tout vu ici: la boisson, la drogue, mets-en, c'est pas de l'onguent. Ben, nous autres, on a jamais touché à rien de tout ça. Même pas la boisson. Je me suis même pas étouffée avec une première puff de mari. Heureusement que quelqu'un, qui me voulait du bien, m'avait prévenue: si jamais je prenais de la coke, je serais dix fois plus folle comme de la marde que je le suis. Pis tu sais une chose? Si toi t'en avais pris, de toutes ces cochonneries-là...

Elle a pointé un doigt vers mon sexe.

— ... t'aurais le busy-ouisi-ouéso pas mal moins en forme que tu l'as, là. Non, nous aut', c'est le cul. Pas mal moins dangereux. Tu peux faire minette, pompon japonais, soixante-neuf, les boules chinoises, le missionnaire, le *threesome*, le *double fucking*, le *dirty talking*, la fellation, l'autofellation, la levrette, enculer, manger tous les culs que tu voudras, sucer, venir, avaler, recommencer, c'est pas mal moins dangereux qu'une sniff de coke.

Elle s'est arrêtée net, pour continuer d'une voix plus grave:

— À moins qu'un jour y a des chiennes de nouvelles maladies qui nous tombent dessus, on sait jamais.

Elle a laissé échapper un long soupir.

Sentant le moment propice, j'en ai profité pour lui poser une question à laquelle elle n'avait jamais voulu répondre:

— Au fait, Mom, pourquoi Lagardère?

— En l'honneur de ton grand-père qui était bossu.

— Mais not' vrai nom, c'est quoi?

— Plouffe! T'aimerais ça, toi, te montrer le cul sous le nom de Frank Plouffe. Je trouvais que, Hortensia Lagardère, ç'avait plus de classe. Mais je m'étais énervée pour rien : monsieur Grimaldi m'a baptisée Bubble Gum. Ça faisait plus chic, d'abord !

Réalisant qu'elle venait de livrer son grand secret, elle a ajouté rapidement :

— Bon, c'est tout. J'voulais juste te dire que j'étais fière de toi.

Mais j'allais en poser une autre pour être rassuré :

— Mom, mon gros pénis, est-ce que c'est une infirmité ?

La réponse ne s'est pas fait attendre :

— J'en ai ben peur, mon homme !

Nous avons ri de bon cœur, mais j'allais prononcer trois mots qui causeraient un malaise :

— Je suis saoul.

Elle s'est levée comme un ressort.

— T'as bu, mon sacrament !

— Non, TU me saoules.

Je voyais, dans son regard, tout l'amour qu'elle emmagasinait dans un cœur qui était toujours sur le bord d'éclater.

Colosse arrivait au bon moment dans sa vie. Lui, de son côté, je le voyais bien à la façon dont il agissait avec elle, lui prodiguerait toute la tendresse qu'il avait dû refouler depuis son départ de chez Yvette et Évelina.

Quant à moi, lorsque j'aurais réussi à éliminer l'autre, le Sanschagrin, la bête, le cancer, le chancre, le bubon, je pourrais enfin, peut-être, accepter ma différence.

Finalement, Mom se demandait ce qu'on pourrait bien faire, après notre voyage en Gaspésie, avec cette belle roulotte chromée et toute ronde qu'on avait devant nous, posée là sur du faux gazon, entourée d'une pinède en plastique. Bouleversant de vérité.

— À moins, un jour, d'ouvrir un restaurant dans cette magnifique machine, ça prendrait ben de la place dans la cour arrière.

Nous étions quelque peu dubitatifs lorsque le vendeur est revenu s'inquiéter de notre intérêt pour son véhicule de luxe.

— Ah, elle est bien belle! l'a rassuré ma génitrice.

— Et elle le sera encore plus si, pour la tirer, vous faites l'acquisition d'une rutilante Chevy 307 *exhaust with cherry bombs.*

Mom a répondu simplement:

— Pourquoi acheter un char?

Et j'ai renchéri:

— Oui, pourquoi?

Le vendeur ouvrait de grands yeux, et ses globes oculaires roulaient dans leurs orbites.

— Vous avez visité l'intérieur de notre roulotte?

Mom, voulant détendre l'atmosphère:

— On rentre pas chez le monde comme ça, sans prévenir.

Le vendeur l'a quand même trouvée très drôle, et ses globes se sont calmés.

— Je vous prierais de me suivre.

Nous sommes entrés dans ce palais roulant. Mom s'est extasiée devant cet univers compacté, distribuant lits et places à table, allant jusqu'à faire cuire un repas imaginaire pour vérifier les commodités de la cuisine et, après s'être inquiétée de la petitesse des penderies, elle a enfin posé à notre vendeur la question qui tue:

— J'ai beau chercher, mon cachottier, j'arrive pas à trouver où vous dissimulez le volant.

Les yeux exorbités du vendeur reprenaient du service. Je n'avais jamais vu un homme bafouiller autant pour nous expliquer que cette «remorque» n'avait pas de moteur.

Pour lui faciliter le travail, Mom a demandé pourquoi il n'en installait pas un.

C'est moi, pourtant nul en mécanique, qui ai compris le premier. Ayant pitié du pauvre vendeur qui voyait fondre sa commission, j'ai pris Mom à part pour lui expliquer notre ignorance et notre bourde.

Mom, gênée, s'est approchée du vendeur et a tenté de le rassurer:

— On va vous encourager pareil, on va prendre une Chevy 307 1969.

Et elle a tenté d'ajouter, la langue empêtrée:

— Avec *exhaust with cherry pompes.*

Le vendeur semblait tout de même très content de sa vente et a accepté de multiplier les efforts pour nous remettre les clés du véhicule le plus rapidement possible.

Quand le grand moment est arrivé, nous avons été obligés de téléphoner à Colosse pour qu'il coure nous sauver. Mom avait oublié que je ne savais pas conduire; quant à elle, la dernière fois qu'elle s'était assise derrière un volant, c'était dans une auto tamponneuse au parc Belmont.

Notre colosse préféré était arrivé comme une flèche, les bagages étant prêts.

Deux heures plus tard, nous étions en route pour la Gaspésie.

Colosse connaissait le chemin par cœur. Sanschagrin lui avait décrit, dans les moindres détails, ce coin de pays qu'il adorait. Malgré la fausse surdité de Colosse, l'autre se faisait comprendre par gestes et dessins. Même le pensionnat, Colosse aurait pu s'y rendre les yeux fermés.

Avant de nous rendre à Gaspé, puis dans la région de Forillon, nous nous sommes arrêtés à New Carlisle où Mom tenait à saluer une vieille connaissance. Je n'ai pas particulièrement apprécié ce coin de la baie des Chaleurs; j'avais préféré la vallée de la Matapédia et je croisais les doigts pour que nous retrouvions bientôt des paysages plus tourmentés. Je ne savais pas encore que nous serions comblés dans quelques heures. La tourmente serait en effet au rendez-vous.

À Gaspé, en fouillant dans les dossiers de la police, nous avons constaté qu'une disparition avait été signalée. Depuis 1966, on était à la recherche de Pascal Lovienko, jardinier.

Bien que soupçonnant un crime à la Coffin, Éphrem Allain, détective chargé de l'affaire, avait déclaré forfait quand son éminence, monseigneur Louis Sanschagrin lui-même, avait daigné se déplacer pour prendre connaissance des ragots qui étaient colportés d'un bout à l'autre de la péninsule. Monseigneur était le propriétaire de la maison où Lovienko travaillait. Il avait fourni au policier, en preuve, une lettre manuscrite dans laquelle son jardinier expliquait les raisons de son départ. La missive était écrite en italien et personne au poste ne parlait cette langue, mais le document semblait bien authentique et monseigneur avait confirmé au détective que, quelques minutes après que Lovienko eut déposé la lettre sur le comptoir de la cuisine, il l'avait vu descendre la grande allée, baluchon sur l'épaule.

Tout cela avait pris des proportions énormes. C'étaient les rares voisins de l'évêque qui avaient porté plainte, ne voyant plus le jeune Pascal dans les parages. Seuls les habitants de l'antique demeure semblaient ne pas s'inquiéter.

Et le billet laissé par Lovienko n'était pas arrivé à chasser les pressentiments d'un jeune Micmac qui avait côtoyé le jardinier et affirmait que celui-ci ne serait jamais parti. Lovienko lui avait confié qu'il remerciait le ciel de lui avoir permis d'habiter cette maison, n'ayant aucun autre endroit où il pouvait se réfugier en terre d'Amérique. Mais personne ne voulait écouter l'Autochtone qui avait une réputation de jeune délinquant, plus précisément de trafiquant de palourdes et de revendeur de marijuana.

L'inquiétude s'était immiscée chez les habitants des environs, mais la déclaration d'un prince de l'Église, contre celle d'un drogué, faisait figure de paroles d'Évangile. Donc, enquête reportée *sine die*, car même Blanche Bastarache, la bonne de l'évêque, avait eu vent de ce billet.

Au bout d'une longue route bordée de peupliers de Lombardie ont surgi devant nous une grille imposante et une demeure ancestrale que, personnellement, j'imaginais dans un tout autre décor. J'ai immédiatement pensé à ces sombres châteaux d'Écosse, peuplés de fantômes, qui hantaient les récits de mon adolescence. Je ne crois pas trop m'avancer en parlant pour les autres, mais nous avions la chair de poule. Notre sang s'est glacé dans nos veines dès que la première tourelle nous est apparue.

Était-ce un signe annonciateur de ce qui nous attendait, le soleil qui nous accompagnait depuis notre arrivée dans la péninsule, brusquement, s'est couvert d'un manteau de nuages lourds et orageux. Il y a d'ailleurs eu quelques éclairs et coups de tonnerre pour souligner l'arrivée d'une sagouine sur le pas de la double porte massive du château. Elle venait de descendre les quelques marches de l'entrée pour se diriger vers nous.

J'ai d'abord été très étonné qu'il n'y ait pas de chien, et voilà maintenant que cette femme fonçait sur nous, un large sourire éclairant son visage buriné.

Ce n'était évidemment point une sagouine, mais une brave paysanne en partie paspeya. Je comprendrais plus tard, après l'avoir mieux connue, que ses vêtements étaient les grands responsables de la méprise.

Elle a levé son chapeau de paille en signe de bienvenue, en nous claironnant :

— Prenderiez-vous une 'tite tisane? Je pouvions vous en faire de la fraîche cueillie.

Son accent nous charmait déjà. Elle n'était Acadienne que de la fesse gauche et n'avait gardé de l'accent qu'une légère mélodie, ponctuée de paspeya et parfois de quelques ions au rythme de sa fantaisie; comme un rappel de ce pays d'Évangeline qu'elle n'avait jamais connu. Cela nous enchanterait. Elle nous a fait signe de la suivre dans la sombre demeure.

— Venez-vous-en. Pas de voyagement inutile, les garçons, prenez-moi du bois sec sur le bord du chemin d'entrée, faut que j'entertienne le foyer. C'est cru, la Gaspésie au mois d'août. Mais comme j'étions fin seule, deux-trois bûches devraient suffire en masse.

Nous nous regardions, ne sachant si nous pensions la même chose mais, pour moi, il était clair qu'une femme aussi avenante qui n'avait proba-blement parlé à personne depuis fort longtemps et devait mortellement s'ennuyer se ferait un plaisir de répondre à nos questions. J'avais d'ailleurs bien hâte de savoir où était Sanschagrin et comment il se faisait qu'au lieu de ce château, nous n'ayons pas trouvé un pensionnat, un collège ou un évêché, fût-il bancal et mal entretenu.

Elle a continué de nous raconter sa Gaspésie, et nous nous sommes tous retrouvés dans une immense cuisine jouxtant une non moins immense salle à dîner, laquelle faisait face à une bibliothèque impressionnante qui mettait en valeur, au fond, un escalier digne de *Gone with the Wind.*

Nous avons pris le temps de faire les présentations, et Blanche Bastarache nous servait la tisane pendant que nous restions muets, ne sachant trop ce que nous pouvions espérer d'une telle rencontre.

Heureusement, c'est Blanche qui a posé la première question:

— Qu'est-ce que je pouvions faire pour vous?

Cette femme semblait tellement honnête que j'ai décidé de l'être, moi aussi:

— Nous sommes à la recherche de son éminence Louis Sanschagrin.

Dès que j'ai eu prononcé le nom de cet ignoble individu, la réponse est restée quelques secondes en suspens. Puis Blanche nous a finalement appris que Sanschagrin était en voyage à Montréal depuis un bon bout de temps, et qu'il ne donnait aucun signe indiquant qu'il reviendrait bientôt.

Mom, voulant aider et, surtout, désireuse de participer à l'interrogatoire, a posé une question bien inutile, d'autant que j'avais la forte impression qu'elle l'avait formulée uniquement pour montrer qu'elle possédait une certaine culture.

— Excusez-moi si ma question peut paraître indiscrète, mais est-ce qu'il a pris du linge d'hiver quand il est parti pour Rome, le saint homme?

Et pour bien l'étaler, cette certaine culture, elle a ajouté:

— La ville aux sept collines est parfois très humide l'hiver. Avec le vent froid de la Méditerranée, on ne sait jamais.

Blanche s'est empressée de répondre:

— Oui, oui, foi de renard, il avions pris une valise pleine de deux-trois capots ben fourrés.

J'étais persuadé que Mom avait une répartie assassine toute prête ; avec les mots « valise pleine », « capots » et « bien fourrés », tout l'humour de Roméo Pérusse, qu'elle avait bien connu, y passerait. Mais elle a eu la délicate attention de ne pas compromettre notre enquête.

Colosse semblait également vouloir se mêler de l'interrogatoire et je lui ai fait discrètement signe d'enchaîner.

— Madame Bastarache, Pascal Lovienko, ça vous dit quelque chose ?

Blanche a sourcillé, mais a rapidement affiché un large sourire.

— Je comprends donc que je le connaissions ! Il nous était arrivé de Rome en 65, si je ne me trompions point, envoyé par madame Sanschagrin. Elle avait trouvé c'te perle rare qui travaillait pour des pinottes dans les jardins des grandes places publiques. Un jardinier jeune et solide, elle avait tout de suite pensé à son fi.

Son regard s'est soudain perdu dans les méandres de la mélancolie :

— Ahhh, Pascal ! C'était un chaculot plein de jarnigouenne, un solide gaillard, pis pas laite pantoute à part de t'ça. Un Suédois mêlé avec du sang italien, ça donnions une belle peau foncée, avec les cheveux couleur des blés. Moi, je me tannions point d'y regarder sa belle tête d'ange sacrifié.

Le mot était bien choisi et la Blanche Bastarache qui rêvait sur son fauteuil, en décrivant le jeune Lovienko, avait vingt ans de moins et laissait deviner une jeunesse bien leste.

— Ça m'apaisions tellement, les cheveux blonds, a-t-elle enchaîné et, après un bref soupir que je qualifierais d'érotico-nostalgique, elle a continué son récit : Monsieur ne l'avait point encore vu quand il est arrivé de Rome. Il était très content, très impressionné par sa carrure et ses muscles. Ça le rassurait pour les travaux du jardin, il y avait tellement de vieilles souches à déterrer.

Quelque chose me chicotait : où était la mère de Sanschagrin et pourquoi le Suédois s'était-il pointé avant l'évêque ?

— Mais où était madame Sanschagrin pendant cette période ?

— À Rome. Elle est toujours restée à Rome. Elle n'a jamais voulu revenir icitte. La maison lui puait au nez depuis belle lurette. Faut dire qu'avec le calvaire que son fi lui avait fait vivre quand il était jeunot, elle avait bien raison de vouloir oublier.

Nous nous sommes regardés. La gaffe était énorme, mais Blanche s'est vite rattrapée.

— La picote, les oreillons, la rougeole, il les a toutes eues. Maudite engeance de maladies!

Elle avait essayé de dire cela avec légèreté, mais nous n'avions pas été dupes. Nous y reviendrions.

— Heu... est-ce qu'il y a autre chose qui vous turlupinions la souvenance?

— Où exactement à Rome madame Sanschagrin habite-t-elle?

— Elle s'est acheté un appartement sur la Piazza Navona. C'est là, de son balcon, qu'elle a vu Pascal la première fois. Il passait ses nuits couché sur le bord de la fontaine à attendre l'aumône et l'hospitalité. Pascal, c'était un p'tit garçon ben d'adon et souriant. D'après moi, y devait toujours se trouver un bon Samaritain pour y offrir un coin de sa couche. En plus, le matin, il devait certainement lui donner de l'argent de poche.

Oh que, pour ce type de transaction, le mot était bien choisi! Une chose qui nous paraissait fort étonnante (nous échangions sans cesse des regards complices, Mom, Colosse et moi), c'était, bien sûr, la grande naïveté de Blanche Bastarache. La Piazza Navona avait toujours été reconnue pour le commerce de la chair entre homosexuels, le touriste de passage et surtout l'ecclésiastique en chaleur.

— Quand madame Sanschagrin voyait Pascal de sa fenêtre, elle avait tellement pitié de lui qu'elle a fini par lui offrir de l'héberger. C'était un jeune orphelin moitié suédois, elle pouvait quand même pas le garder tout l'temps, alors elle l'a shippé su son fi. C'est comme ça que Pascal a retonti icitte. Elle m'a toute raconté ça dans une lettre, je devrions l'avoir encore quelque part dans la bibliothèque.

— Mais Pascal est arrivé ici, vous l'avez bien précisé, avant monseigneur...

— Tant qu'à préciser, on va préciser une aut' chose tout d'suite: vous allez arrêter les «monseigneur» et les «éminence» ben vite.

Son ton s'était durci. Elle a enchaîné, évitant des questions bien justifiées qui ne feraient qu'attendre leur tour.

— Elle nous l'a expédié avant pour qu'il s'habitue à la maisonnée, pour que Monsieur se sente pas envahi. Aussi pour que le petit se soit habitué au climat et qu'il lui tombe pas malade dans la face à son arrivée. C'est-tu des bonnes raisons ça, ou il faut que je vous en invente d'autres?

Le ton de Blanche avait changé, se faisant plus agressif. Avait-elle finalement quelque chose à cacher?

— Comment Louis Sanschagrin a-t-il réagi, alors, quand il a fait la connaissance de Pascal Lovienko?

Je venais de remuer, j'en avais bien peur, un étrange souvenir.

— J'avions été gênée de la façon qu'y l'avait fixé. Longtemps. Comme si y voulait acheter du bétail. Il l'évaluait comme un banc de poissons, on aurait dit. Moi, je regardions ailleurs. Les regards de curé, ça m'a toujours fait lever le cœur. Mais j'étions gênée pour rien: le jeune, y avait pas l'air du tout mal à l'aise. Même qu'y avait un grand sourire qui lui donnait l'air fendant.

Elle s'est mise à sourire béatement.

— Ouais, il était vraiment très fendant. Mais ça faisions son charme.

Connaissant très bien les rouages des métiers de la séduction, j'étais en mesure d'affirmer que Pascal Lovienko mangeait à tous les râteliers et avait également séduit la bonne. Raison bien légitime pour Blanche, un peu jalouse, de révéler le vrai côté de son patron.

Son sourire s'est effacé d'un coup et elle a continué son récit:

— Six mois après, il a sacré son camp. Ah, il est pas disparu comme le bruit a couru dans le coin. C'est de la faute à Monsieur si le petit est parti, il lui faisait pas toujours la vie facile et, un jour, Pascal s'est tanné.

Je la sentais de plus en plus nerveuse sur le bout de sa chaise. Elle s'est levée, essayant de trouver une contenance, mais s'est vite retournée vers nous, l'air bien décidé:

— Pis tant qu'à m'être embarquée dans le sujet, autant continuer: ça devions pas être facile de travailler pour un homme toujours saoul comme une botte, qui essayait de te varger dessus le moindrement que tu bougeais. Je les regardions de par la fenêtre, pis je revoyions tellement Monsieur comme je l'avions déjà vu, y avait presque un demi-siècle. J'voulions pas revivre ça, pis j'voulions surtout pas m'en mêler, ça m'avions causé déjà assez de désenchantement. Pendant toute cette période, j'avions vécu presque tout le temps enfermée dans ma chambre. Je comprenais point comment ça se faisait qu'on était revenus à la case départ. Pascal a tenu six mois. Un jour, y a laissé un billet sur la table de la cuisine expliquant son départ. J'me souviens quand Monsieur a découvert le fameux billet, y s'promenait de long en large, en beau saint s'il vous plaît, me le brandissant sans cesse devant les yeux.

— Donc, vous l'avez vu, ce billet. On m'a dit qu'il était rédigé en italien. Avez-vous bien reconnu l'écriture de Pascal?

— Ah, je l'aurions reconnu certain, il me laissions toujours des listes. Mais j'avions point mes lunettes à portée de main.

— Et son éminence…

Je n'ai pas eu le temps de terminer ma phrase que je découvrais la face cachée de Blanche Bastarache. Furieuse, elle m'a lancé:

— Arrêtez de l'appeler comme ça, y est même pas évêque…

Le silence a été long et gênant.

— Ah, pis je pense que j'allions me défouler encore plus. J'ai comme le besoin de me décharger de cette mascarade que j'endurions depuis mon enfance. Je suis icitte quasiment depuis le berceau, j'pense. Avez-vous déjà rencontré ça, une mère qui veut rien savoir quand on y répète que son fi est déséquilibré? J'avais beau être jeune, j'avions des yeux pour voir. C'était pas du monde, cet enfant-là. Violent. Y a pas une petite bête qui a tenu le coup dans le jardin. Madame Sanschagrin était très riche depuis l'héritage de son vieux père, elle avait les moyens de consulter les meilleurs spécialistes, mais elle a préféré dépenser son argent autrement. C'est ça qui m'écœure.

Elle s'est tue, mais son visage exprimait une colère sans appel. Elle a mis son poing sur la table et est allée encore plus loin:

— Non, j'vas l'dire. Y m'ont trop écœurée. Comment que vous pensez que son fi est devenu soi-disant évêque, prince de l'Église? Elle a beurré tout ce qui grouillait et grenouillait à Rome. Elle a acheté le grade. Mais y a quelqu'un de brillant au Vatican qui commençait à ruer dans les brancards. Même si la Sanschagrin leur avait donné des fortunes, ils ont pris la décision d'excommunier son fi et il fallait qu'y retourne direct chez lui, en Canada. Je savions point ce qu'il avait faite pour se faire bouter hors de l'Église de même, mais on voulait plus y voir la face au Vatican. Ben, la bonne femme, tellement humiliée, est allée jusqu'à y acheter une mitre, pis lui payer une séance de photos pour le *Montréal-Matin*. C'est pour ça que la nouvelle est passée en bas d'une page perdue, pis que personne en a plus reparlé.

— Comment avez-vous appris tout ça?

La réponse ne s'est pas fait attendre:

— J'étions une maudite fouine. J'écoutions sur les lignes de téléphône. J'fouillions partout, même dans les *turn up* de pantalons. J'décollions les enveloppes avec de la stime. J'lisions les bas de pages dans les journaux. Je ratissions les fonds de poches, de tiroirs, de sacoches. Pis j'ai soudoyé Pascal, y en savions des boutes lui itou. Les sangs-mêlés, on a l'ouïe baladeuse, mais on sait être discrets.

Blanche était entrée dans le vif du sujet, et cela la rendait nerveuse. Et quand elle était nerveuse, j'avais remarqué que les -ions de son enfance revenaient à la surface plus souvent.

— Pourquoi sa mère tenait-elle tant à le pistonner?

— Elle croyions dur comme fer à la sainteté de son fi. Un saint avec des cornes, oui. La pire chose qu'y faisions, et ça faisions un boute qu'il le faisions quand je l'avions attrapé… figurez-vous que son grand-père avait laissé dans la cave des barriques de vin qu'y avait rapportées d'Europe, ben, à quatre ans, le petit les avait trouvées et il avait aussi trouvé moyen de faire un tout p'tit trou en dessoure d'un des barils qu'y bouchait avec une mâchée de gomme Chiclets jaune quand il avait fini son cérémonial. Y se couchait tout nu en dessous de la barrique, y enlevait son bouchon, et il se laissait pisser le vin dans bouche. Il en prenait pas juste la valeur d'un verre, des fois y rebouchait le trou, là, y marmonnait des affaires bizarres, y parlait au baril. Il arrêtait pas de lui dire qu'il le trouvait beau pis fort en le flattant comme on flatte un gros ventre ben pansu. Après, y retirait sa mâchée de gomme Chiclets, pis le vin se mettait à y repisser dans la gueule. La, j'avions trouvé que ça faisait dur. Je l'avions sorti de là rien que sur une gosse, pis ramené en haut. Y était tellement en verrat, y avait tout cassé dans la cuisine. Y avait même failli me tuer, c'est pas mêlant. Là, sa mère était arrivée et elle pensait que c'étions moi qui l'avions battu. J'ai été amputée de mon salaire pour une pleine semaine, je l'ai encore sur le cœur. En plus, le petit empestait la tonne à cœur de jour, et jamais elle a voulu le reconnaître. Elle me répétions tout le temps: «Il sent le parfum du houblon dans la prairie, ça prouve que c'est un vrai Gaspésien.» J'vous l'avions-tu dit déjà, qu'elle avait le quotient intellectuel d'une géli-notte? Comme elle voulait rien savoir, j'avions laissé le p'tit continuer à boire à son aise. Y avions point cinq ans. À midi, il était saoul comme une botte. C'est juste quelques années plus tard, quand il s'est attaqué à elle, qu'elle a enfin accepté de comprendre. Un jour, il l'a poussée en bas de l'escalier parce qu'il voulait qu'elle descende avant lui. Là, elle l'a emmené chez le docteur. Moi, j'aurions pas eu besoin d'un docteur pour y dire que son gars, c'était juste de la graine d'ivrogne violent. Du genre qui allions battre la femme un jour. Le docteur a tout essayé.

Ça s'est amélioré un peu mais finalement, c'est le curé de la paroisse qui l'avions transformé. C'est ben pour dire, un prêtre quasiment gnochon avait réussi à faire de lui un bon chrétien comme j'en avions jamais vu. Louis avait découvert Jésus pis toute la montagne de bêtises qu'on nous avait enseignées. Je me promenions avec lui sur le chemin, et y pouvait tout à coup se coucher face contre terre, en mangeant presque la garnotte et en implorant le Seigneur. Moi, j'y aurions ramené ma main sur la margoulette, mais la mère jubilait. Y buvait encore, mais là, au lieu de varger sur les murs, il faisait des crises mystiques. C'est pendant une de ces crises-là qu'elle lui a promis qu'y deviendrait pape. Fallait qu'y soit conscient de la grande mission qu'il avait dans la vie. Elle lui lisait sans cesse les prophéties de saint Malachie. J'vous l'ai dit, elle était timbrée, elle avait le cerveau qui y traînait dans la vase. Pendant que le petit cuvait son vin, elle finissait par arriver à la dernière prophétie, celle qui parlait du dernier pape. Triomphante, elle lui annonçait: «C'est de toi que le monsieur parle.» Et elle lui lisait la prophétie des papes: «Dans la dernière persécution de la sainte Église romaine siégera Pierre le Romain qui fera paître ses brebis à travers de nombreuses tribulations. Celles-ci terminées, la cité aux sept collines sera détruite, et le juge redoutable jugera son peuple.» Elle y allait de son interprétation: «C'est tellement clair, cette prophétie-là, mon fils, c'en est presque superfétatoire.»

Blanche avait imité la voix de sa patronne, pour reprendre tout de suite la sienne dans le but de nous avertir:

— Ouais, elle avait un parler un peu péteux.

Et elle est revenue à son personnage de dame de la haute un peu coincée:

— «Je vais te l'expliquer et, subséquemment, tu vas comprendre la grande mission qui t'attend sur terre. D'abord, tu ne t'appelles pas juste Louis, mais PIERRE Louis. C'est un bon départ. Pour le "Romain", je me suis dit que si jamais tu étais pape, ils allaient nécessairement te naturaliser. C'est une question de formalité. De ce côté-là, nous n'avons rien à craindre. Maintenant, tu écoutes bien, Pierre. "Faire paître tes brebis", c'est exactement ce que tu t'apprêtes à faire quand tu vas éduquer tes élèves, et quant aux "tribulations", tu n'as que ça depuis ta naissance. Bon, ça parle aussi de Rome qui va être détruite. Eh bien, j'ai de petites nouvelles pour Malachie, c'est déjà commencé: regarde l'état du Colisée. Ce qui me fait le plus peur dans cette prophétie, c'est le juge redoutable qui arrive à la fin. J'ai bien peur que ce soit l'antéchrist, mais tu feras avec, je n'ai pas peur pour toi. »

Il aurait été souhaitable que nous applaudissions : Blanche venait de faire une remarquable imitation de sa patronne, d'autant que nous ne la connaissions pas. Mais cela aurait pu enlever de la crédibilité à notre enquête. Ce n'était pas fini.

— Non non, cette femme-là a un bardeau de lousse. Vous auriez dû voir sa collection de livres ésotériques et les cérémonies qu'elle se faisait toute seule dans sa chambre en pleine nuit.

— Elle en a certainement pas autant que moi. Quand je tenais le Salon Beauvoir-Sartre, les livres ésotériques, j'en chiais.

Je n'étais pas surpris que Mom se manifeste de cette façon : elle était un peu jalouse quand on accordait de l'attention à quelqu'un d'autre. Heureusement, cela a eu le grand mérite de détendre l'atmosphère. Blanche Bastarache l'avait trouvée bien bonne.

— Revenons à son enfance, a suggéré Colosse, qui était resté d'un sérieux académique.

Blanche ne s'est pas fait prier pour repartir la cassette :

— Il est devenu excessif, le p'tit. Y voyait le Bon Dieu partout. Quand il venait pour se fâcher, c'était son Lucifer en lui qu'il fallait calmer. Il a fini par être capable de faire des études. Il était intelligent, le flo. Pis, à quinze ans, ils l'ont expédié au grand séminaire de Montréal. Figurez-vous donc que, rendu là, il paraîtrions qu'y a ben de la bouteille de vin de messe qui avions disparu. Pis avant que vous me posiez une question, je vous répondrai tu suite que j'avions mes entrées partout, et que c'étions confidentiel. En attendant, il s'était calmé, mais y continuait à me faire peur pareil. Y avions demandé un cadeau à son père. Son père, j'en parle jamais, c'était une chiffe molle transparente, du papier de cellophane qui se crissait de la bonne femme. Y restait icitte juste pour les cennes, mais un jour y a sapré le camp, pis on l'a jamais revu. Pis, elle, j'me demande si elle s'en est seulement rendu compte. Mais, avant de partir, y avait acquiescé à la demande de son fi et il lui avait construit une sorte de laboratoire derrière la maison, tout équipé, en prévision de ce que voulait faire son fi. À partir de ce moment-là, ce petit dégénéré s'est mis à tuer tous les animaux qui lui tombaient sous la main pour les empailler.

Ce dernier mot avait provoqué en moi une poussée d'adrénaline qui se transformait en tourbillon ; des gens volaient autour de moi, tentaient de m'en sortir. Dame Ramina Rada Boujnikskaya se tenait devant, répétant le conseil qu'elle m'avait déjà donné : « Écoute tes illuminations. Un simple mot et tu as tout compris. » Un simple mot. Au même moment, je me suis souvenu de cet aigle empaillé que j'avais vu dans son bureau. Pendant que dame Ramina Rada Boujnikskaya me poussait à l'extérieur de la spirale, celle-ci s'évanouissait. Étourdi et nerveux, j'ai demandé à Blanche :

— Est-ce que la chambre de Sanschagrin est accessible ? Savez-vous s'il la verrouillait ?

— À double tour, pis c'est lui qui avions la clé.

— Excusez-nous, madame, mais vous me voyez dans l'obligation de défoncer la porte. Venez, tout le monde.

Sans attendre sa réponse, je me suis précipité vers le grand escalier de la bibliothèque, pendant que Blanche Bastarache se signait à répétition.

D'un coup d'épaule, Colosse a enfoncé la porte. Blanche nous avait suivis. La chambre était impeccable, parfaitement rangée. Ce qui me rassurait, c'est que ce lieu ne semblait pas avoir servi de champ de bataille. Dieu merci, je m'étais trompé.

J'ai fait le tour de la pièce, un peu mal à l'aise de ma méprise, et, pour me donner une contenance, j'ai ouvert des tiroirs, soulevé de la pointe du pied un tapis tressé. Alors que je jetais nonchalamment un coup d'œil par la fenêtre, un détail a attiré mon attention et je suis resté pensif quelques instants. Je n'étais peut-être pas monté pour rien.

— Est-ce que Pascal Lovienko avait sa chambre dans le manoir ?

— Non, y couchait dans le laboratoire. Je l'avions jamais vu venir icitte dans la maison passé sept heures du soir.

— Sauf s'il grimpait à cet énorme lierre bien ancré dans le sol et qui longe la fenêtre.

À peine avais-je émis cette hypothèse que j'entendais un bang terrible et que je voyais des lattes de bois voler de partout : Colosse était debout sur une chaise et avait défoncé une discrète trappe dans le plafond, qui donnait accès à un grenier. Il s'y est engouffré et m'a invité sur-le-champ à venir le rejoindre pour y découvrir une vision d'horreur.

Pascal Lovienko trônait au centre de la pièce, assis dans un large fauteuil digne de la chapelle Sixtine. Il était nu, le sexe en érection. Il était évidemment empaillé, une mitre déchirée sur la tête. Tout me revenait clairement à l'esprit : la lecture des lignes de sa main où j'avais fait allusion à cette mitre, la grande admiration que vouait le révérend Louis Sanschagrin à Norman Bates et aux films d'Alfred Hitchcock. Sans minimiser son grand intérêt pour les techniques égyptiennes de momification.

Nous venions de percer le mystère, mais il me restait quelque chose à faire.

Aussitôt rentré à Montréal, j'ai pris un avion pour le Grand Nord. C'était la pièce qui manquait à mon casse-tête. Quand je suis revenu, Mom m'a donné ces articles de journaux qu'elle avait découpés pour moi.

LE MONSTRE DE FORILLON SURVIT
LOUIS SANSCHAGRIN, LE MONSTRE DE FORILLON, TABASSÉ EN PRISON

Une bande de détenus aurait poussé Louis Sanchagrin par-dessus le garde-fou du troisième étage. Il a été retrouvé presque mort, mais semblait avoir conservé toute sa lucidité.

Le faux évêque a été arrêté il y a deux jours. Il s'était tout simplement réfugié à l'Externat classique de la Sainte-Foi, aidé par un complice, le révérend Ernest Langevin. Ce dernier trempe également dans ce scandale pédophile qui a des ramifications jusqu'à Rome. C'est François Plouffe Lagardère, une ancienne victime, qui a découvert le pot aux roses avec l'aide d'un autre martyr de cette triste époque, Prudent Lagacé dit «Colosse».

Blanche Bastarache, gouvernante du manoir maudit, remise de son choc, a accepté de rédiger ses mémoires relatant ces années d'enfer avec le monstre de Forillon. Tout ce qu'elle est en mesure de nous confirmer pour l'instant, c'est le titre: Mes années d'enfer avec le monstre de Forillon.

Le pape, joint par notre représentant à Rome, a déclaré: «Un homme est une créature de Dieu et sera toujours digne de pardon. Le coupable de ce crime incompréhensible sera pardonné, car Christ est mort sur la croix pour sa rédemption.»

Hortensia Plouffe Lagardère, depuis peu Hortensia Plouffe Lagardère Lagacé, mère de François Plouffe Lagardère et ancienne comédienne de la troupe Grimaldi, mieux connue sous le nom de Bubble Gum, accordera une entrevue à Radio-Canada. Elle y donnera des conseils pertinents aux mamans qui se posent des questions sur l'orientation sexuelle de leur fils.

Quant au monstre lui-même, il restera à l'hôpital jusqu'à ce que son état s'améliore. Ses membres inférieurs ne répondent plus. Les os de ses bras, qu'il a tendus en avant pour essayer de se protéger, ont pour leur part été pulvérisés sous le choc de l'impact. Il a également perdu l'usage de la parole, mais la vivacité de son esprit lui permet de communiquer et il semble bien décidé à vivre.

Quant à la mère du vil assassin, la dame de la Piazza Navona, une enquête a été ouverte à Rome sur un réseau de trafiquants d'adolescents. Cette femme serait un des maillons importants de cette organisation.

Son appartement a été mis sous scellés. Une fouille dirigée par la Congrégation pour la doctrine de la foi est imminente. Cet organisme est chargé de protéger les moeurs dans tout le monde catholique. Tout ce qui, de quelque manière, concerne les moeurs relève donc de sa compétence. Germaine Sanschagrin aurait, dans ses papiers, la liste complète des ecclésiastiques, quel que soit leur grade, impliqués dans un nombre incalculable de scandales pédophiles, et ce dans toute l'Europe. L'entremetteuse de la Piazza Navona refuse de reconnaître la crédibilité de cette congrégation pour enquêter sur ce nouveau scandale qui tombe entre les mains du bon pape Paul.

* * *

DERNIÈRE HEURE

Un policier de Gaspé, Éphrem Allain, recevra la médaille du mérite pour avoir, suite à une minutieuse enquête, mis la main sur le pire criminel que la Gaspésie ait donné au monde du vice et de la corruption. La cérémonie aura lieu en présence de Prudent Lagacé surnommé «Colosse».

Madame Plouffe Lagardère Lagacé ne sera pas présente cependant, occupée qu'elle sera à rencontrer, à Pasbébiac, un groupe de jeunes filles inquiètes de leur avenir. Celles-ci écouteront les sages conseils de cette pionnière du show-business montréalais, conseils qui leur seront certes d'un grand secours.

Le porte-parole de l'Assemblée des évêques se dit offensé qu'une brebis galeuse ternisse le bon travail de tous ces hommes de Dieu, humbles et désintéressés, qui, dans les pensionnats de la province, font tout pour ouvrir ces enfants afin de leur insuffler la grâce divine.

* * *

Le gala des jeunes séminaristes qui recueillaient des fonds afin d'aller en pèlerinage à Rome, accompagnés de quelques prêtres de leur diocèse, a été annulé.

Je suis entré dans cet hôpital délabré, quelque part en province, comme dans un moulin. J'avais reçu, entre les branches, la confirmation que Sanschagrin y pourrirait jusqu'à la fin de ses jours.

Je me suis introduit sans bruit dans sa chambre. Il dormait du sommeil troublé de l'injuste. Il semblait avoir été abandonné sur le matelas, comme un objet. Son corps amaigri était rigide, sans vie, ses bras inexistants, il respirait par saccades, sa tête bougeait quand il paniquait dans son sommeil. Il était clair qu'il faisait un terrible cauchemar, mais je me régalais. LE PIED. Le regarder souffrir sans même essayer de le réveiller. J'essayais d'imaginer lequel de ses forfaits revenait le hanter. J'ai attendu patiemment son réveil. Dès qu'il a ouvert les yeux, j'ai perçu la terreur dans son regard. Il comprenait que je n'étais pas là pour l'aider à s'en sortir.

— T'as raison, je suis venu pour te rachever. Je te préviens tout de suite, tu vas souffrir. J'ai vu Pascal Lovienko. Je l'ai échappé belle.

J'étais entré trop rapidement dans le vif du sujet. Je devais calmer ma hâte d'en finir, histoire de prolonger son agonie. Bien le faire souffrir. J'allais d'abord me réchauffer, tuer le temps, le faire fantasmer pour une dernière fois.

— T'as pas droit aux visites, tu dois te demander comment j'ai fait pour me rendre jusqu'ici. Au fait, y avait pas un chat devant les portes, pas de gardiens, pas de polices. Y s'en crissent-tu assez, d'un ancien curé faux évêque pédophile... Le monstre de Forillon. Est-ce que tu savais que c'est sous ce nom-là que tu vas passer à la postérité? C'est mieux que rien. Sans ça, tu serais passé complètement inaperçu. Si t'avais pas fait de conneries, t'aurais peut-être fini par devenir pape, un jour. Ta maman a beaucoup de talent, d'entregent et d'argent, mon sacrament.

Il a cligné des yeux et m'a jeté un regard assassin. J'avais oublié qu'il ne fallait surtout pas toucher à sa mère; j'étais bien placé pour comprendre et c'est pour ça que je continuerais. Il n'était pas au bout de ses peines.

— Moi, malgré UNE mauvaise rencontre, j'ai quand même eu une bien belle vie, avec une mère dont le moule doit être cassé depuis longtemps. Oui, je suis très heureux avec Mom. Tu m'as permis de trouver mon équilibre sexuel. Fini les questionnements. Je te dois au moins ça, j'ai découvert un jour que j'étais éperdument amoureux de moi. C'est écœurant si je m'aime. Quand quelqu'un me cruise, j'suis jaloux pour l'autre. Celui du miroir. Tu vas comprendre. J'ai tout sorti de ma chambre, sauf un matelas et des étagères pour ranger tous les jouets sexuels, les élixirs, les poppers, les cock rings, que je suis allé chercher sur la 42e à New York. J'ai fait une chambre high-tech. J'en ai profité pour passer par la 3e Avenue, je me suis arrêté chez le plus grand antiquaire des Amériques, et j'ai acheté — tu vas voir, j'y arrive — le plus beau et le plus grand miroir qui pouvait rentrer chez nous. Une merveille. Le cadre a été sculpté par Giacomo Terzetti à Florence, en 1557. Un élève de Michel-Ange, c'est ben pour dire. Un chef-d'œuvre. Une fortune. Ça m'a coûté un bras. Mais c'est pas grave: Mom et moi, on est devenus riches, alors que maman Sanschagrin est complètement lavée, ruinée, humiliée, soupçonnée, condamnée d'avance.

Après cette cinglante réplique, j'ai eu la confirmation qu'il ne pourrait jamais sortir de son lit. Il bavait comme un saint-bernard.

— On se calme! T'es jaloux de ma garçonnière? Je vais donc continuer à te faire faire le tour du propriétaire. Pour les miroirs au plafond, j'ai encouragé une petite entreprise de Montréal-Est. Mais le plus réussi, ce sont les éclairages et le son. Quand je m'étends sur mon matelas et que je me masturbe doucement, en étirant Bichette vers le miroir, un système automatique se met en marche pour diriger le spectacle. Il enligne les spots vers ce corps qui m'affole. Que des couleurs chaudes, cochonnes, bandantes. Je change de couleur aux minutes. La musique suit, changeant de mood avec les éclairages, pour devenir de plus en plus cochonne. C'est excitant, c't'écœurant. Et t'as pas vu le final, l'apothéose. Quand je rends l'âme, des diapos sont projetées, représentant les feux d'artifice de Versailles, pendant que la musique de Lully souligne le tout et que les lumières s'éteignent doucement, et que délicatement la musique devient zen. Des fois j'm'endors, des fois j'recommence. Tu sais d'où ça vient, ma passion pour les éclairages? Ça vient de toi, mon sacrament. Tu te souviens de *Phèdre*? C'est à ce moment-là, précisément, que ç'a vraiment commencé à cliquer avec toi.

Mais il me fallait changer de sujet. Je devais penser à me rapprocher du supplice.

— Je me la suis fait péter, ma balloune, le jour où j'ai appris aux nouvelles que tu t'en sortirais, que t'allais rester en partie paralysé, les bras en charpie. Tu parlerais plus, mais t'allais vivre. T'es pas beau à voir, par exemple. Ah oui, j'ai vu ta dernière photo. Oh là là, t'as vieilli, mon sacrament. Y a plus grand-chose à faire avec toi. Mais venons-en aux choses sérieuses. On a toujours été d'accord là-dessus, tous les deux: y en a pas, de ciel, d'enfer, pis de p'tit Jésus. T'auras de comptes à rendre à personne. C'est scandaleux! Pour ce que t'as fait, tu mérites la peine de mort.

J'ai fait quelques pas vers le pied du lit, histoire de faire durer le plaisir.

— Mais j'ai décidé de remédier à la situation. Alors, ce que je vais te faire dans une quinzaine de minutes, je le ferai pas uniquement pour moi, mais pour Julien d'Essanges, Pascal Lovienko... et...?

Je me suis penché au-dessus de lui en criant:

— Et... c'est quoi, son nom, au troisième?

Il était couvert de sueur et je devinais les battements accélérés de son cœur dans sa poitrine. Cela m'a aidé à reprendre mon calme.

— Pendant le mois qui vient de passer, je me suis pas pogné le cul. J'ai travaillé. Je suis allé à la RCMP, ils ont sorti tous les dossiers, enquêtes, crimes non résolus entre 1945 et 1955, et il est curieux de constater que, dans ton orphelinat du Grand Nord où tu faisais ton missionnariat, à l'époque où tu ne te masturbais même pas, n'ayant jamais reçu l'appel du sexe, jusqu'à ce tu voies mon cul en 1955... eh ben, y avait eu la disparition d'un beau jeune homme en 1954. Une enquête qui n'avait pas été résolue. La RCMP s'est inquiétée: tu avais quand même été présent sur les lieux pendant dix ans. Deux policiers ont été désignés pour venir faire un tour là-bas avec moi, et tu vas comprendre facilement qu'avec un demi-siècle de progrès en techniques policières, on a vite retrouvé les restes du corps du petit Simonin, seize ans. La première chose qu'on a faite évidemment, c'est de se rendre à l'institution. Ceux qui étaient encore là, ça leur a fait du bien de parler. Il faut dire que je les ai mis en confiance et, surtout, j'leur ai raconté ce que t'avais fait à Forillon. Dans le temps, tout le monde le savait autour de toi. Les autres élèves avaient tellement peur de toi. Peur que ça leur arrive. Pas une police, pas un garde-chasse à trois cents kilomètres à la ronde. Mais, après mon récit, tout le monde se sentait coupable. J'ai pas de mérite, j'ai même pas eu à poser une question, et j'ai tout su. Luc Simonin, pendant six ans, tu l'as détruit à petit feu. À la fin, même s'il était rendu presque légume, mais très conscient malgré ses forces qui le quittaient de jour en jour, t'allais systématiquement le violer sur son lit de douleur quand bon te semblait. C'est écœurant, le martyre que tu lui as fait endurer. Si y était cloué sur son lit, c'était à cause de toi, mon enfant de chienne. Pendant ces six années là, t'as tout expérimenté avec lui les cochonneries que t'as faites avec moi plus tard. Je te dis que, lui, le *Kâmasûtra,* il y a goûté. Mais t'avais pas le droit de faire ça à un pauv' gars comme lui, parce que, lui, c'était pas une hostie de guidoune comme moi. C'était pas le plus malade des exhibitionnistes que Montréal ait connus, c'était pas la grosse queue qui rêve d'être dans le livre des records Guinness, c'était pas le gars qui lisait des livres de cul depuis l'âge de dix ans et à qui sa mère avait expliqué comment se masturber pendant qu'elle lui apprenait qu'il était fif à l'os, à l'âge de huit ans. Le petit Simonin était pas équipé pour se défendre. À force de le détruire moralement et physiquement, t'as réussi à en faire un squelette vivant. Et, surtout, Simonin, c'était pas de la graine de tueur comme moi, qui vas te rachever dans dix minutes. Au fait, t'as dix minutes pour chier dans ton lit, mourir de peur, essayer de t'imaginer ce que je vais bien pouvoir inventer pour que tu crèves en râlant et en te noyant. Le compte à rebours est commencé: dix minutes.

À ce moment précis, j'ai pris un plaisir pervers à le fixer dans les yeux pour y voir la peur sous sa forme la plus jouissive. La peur sans l'aide du cri. Le cri qui se transforme en terreur à en faire éclater les vaisseaux de son œil bientôt putride. Je me suis recueilli un instant pour remercier monsieur Tranquille de m'avoir présenté le marquis de Sade.

— Comme méthode pour te liquider, j'avais d'abord pensé m'asseoir dans ta face pour t'étouffer. Ah, pis je me suis vite dit que, vicieux comme t'es, même si t'es en train de devenir un morceau de charogne, tu serais ben capable d'aimer ça et je ne veux surtout pas te faire plaisir. Alors, j'ai pensé te faire autre chose que j'avais presque adoré. Juste la fin qui m'avait déçu et c'était de ta faute. Une technique que tu n'as appliquée qu'une seule fois.

Avec moi évidemment. Plus j'y pense, plus je réalise que c'est ben heavy, le traitement que je vais t'offrir et, ce qui est ben plate pour moi, c'est que tu pourras pas me dire après si t'as aimé ça. Avant de procéder, je veux juste repasser avec toi nos bons moments, susciter une p'tite gêne avant ton départ. Au fait, le morpion, c'est-tu le fun de savoir à quelle date on meurt ? J'peux même te donner l'heure exacte si tu veux. Ah pis, espère pas t'en sauver. Espère rien. On est pas dans un film cheap où la police arrive à la dernière minute pour te sauver. Parce qu'ici, je te l'ai déjà dit, y t'haïssent tellement qu'y a même pas un garde de sécurité en bas. On peut rentrer comme on veut. Ils espèrent juste ça, qu'il y ait un malade mental qui rentre dans ta chambre pour débarrasser la société. Ben, ils l'ont trouvé. MOI ! Sais-tu quand est-ce que je suis tombé amoureux fou de toi, que j'ai été coincé dans une zone de *no return* ? C'est quand tu m'as annoncé que tu partais en cure, alors que tu partais pour Rome avec ta maman que t'aimes tant... Au fait, l'as-tu déjà sucée, ta mère, *motherfucker* ? A doit goûter le vieux dispensaire. Ouach ! Non, toi, t'aimais sucer des grosses bites.

J'ai cru que le lit se soulèverait, comme dans *L'Exorciste*, quand j'ai perçu, venant de sa gueule béante, le même râle animal que la jeune Linda Blair laissait entendre dans une scène restée célèbre. Disons que j'ai eu sérieusement peur de recevoir de la crème de pois verts en pleine gueule.

— Je m'ennuie tout à coup de la séance du samedi, quand nous nous apprenions des choses. Je vais donc te poser une question. On va jouer un dernier jeu. Combien de temps faut-il pour se noyer ? C'est long malheureusement, dix minutes. Mais tu perds conscience après les deux ou trois premières minutes. La bonne nouvelle, en ce qui te concerne, avec ta santé fragile : ça devrait pas prendre plus d'une minute, une minute et demie. Tu vas partir comme un petit poulet. Mais revenons à notre belle histoire d'amour. J'étais convaincu que c'était sérieux, notre affaire, quand tu m'as annoncé que tu partais pour une cure de désintox. Tu pouvais pas faire ça si tu m'aimais pas vraiment. J'ai mis, drette là, toute ma confiance en toi. Penses-tu que le géant de quinze ans, surdoué, bâti comme un cheval, fort comme trente-deux, avait pas encore une âme d'enfant qui cherchait son hostie de père qui l'a abandonné dès la conception ? Au fait, j'avais quinze ans et non treize. Mom s'était trompée dans ses dates. Oh, excuse-moi, j'étais peut-être trop vieux ! Soyons honnêtes, je suis moins à plaindre que le grand d'Essanges qui s'est fait défoncer par une crisse de grande folle qui pesait trois cents livres, pis rachever par un hostie de chien sale de trou du cul de moine de mes deux, qui a pris plaisir à sucer un p'tit gars malade, mille cent quatre-vingt-douze fois. Et le petit gars était hétérosexuel en plus. Déjà, ça tout seul, ça mérite que je te fasse disparaître. J'vais te faire disparaître parce que j'espère que ça va effacer certains souvenirs. Je veux oublier tous les mensonges que tu m'as dits dans ton bureau, afin de te faire passer pour un parangon de pureté et d'innocence avant que tu me rencontres. J'veux surtout oublier tout ce qui s'est passé à la chambre 828, quand tu me mentais, que tu savais que tu partais le lendemain pour Rome, que tu savais que tu me ferais découvrir des plaisirs que je retrouverais pas avant longtemps. Ben, le long-temps, y s'étire. J'ai pas baisé avec un autre gars depuis 1955. Ça fait treize ans. Justement j'ai assez ri. Je vais maintenant t'envoyer *ad patres*. Je vais commencer par me déshabiller. Je vais m'appro-cher du lit pour que tu me voies bien. Un petit bonus. J'enlève d'abord la chemise.

Je me suis débarrassé de ma chemise lentement, faisant appa-raître les parties de mon torse une à une. À vingt-huit ans, je n'avais jamais autant dégagé l'érotisme, le cul, la passion. De l'in-dex de ma main droite, je suis parti du nombril et, le glissant dou-cement sur ma peau mate et chaude, je me suis rendu jusqu'à un de mes mamelons. D'une main gauche ferme, bien ancrée sous le muscle du sein, je le relevais pour permettre à ma langue d'en titiller la tétine qui bandait elle aussi. Tout le monde serait de la fête.

— Regarde mes mamelons sont durs comme de l'acier. Checke les boutes qui sont sué hautes.

J'ai continué pour mon plaisir personnel à m'en lécher le bout qui était tellement dur qu'il bougeait à peine quand je le mordillais gentiment. Je me suis quand même remis de cette crise soudaine de lubricité. De retour au travail.

— Qu'est ce que je fais maintenant ? Attends, y a un p'tit banc ici, tu vas voir mieux. J'ai le choix entre enlever mon pantalon lentement pour te faire baver, ou m'en débarrasser rapidement pour te montrer ma surprise.

Je me suis retourné sur le banc pour enlever mon pantalon, préférant sauter à la surprise. Je commençais à en avoir ras le bol de le ménager.

— Regarde ! Mon vieux jackstrap, celui qui t'a révélé le beau petit cul rebondi de mes quinze ans. Il est rendu un peu trop petit, mais c'est encore plus sexy. Regarde le cul que ça me fait de dos. Ça serait le fun, hein, si tu pouvais m'écarter les deux fesses pour t'y plonger la face.

Je prenais un malin plaisir à me caresser, à prendre des positions qui l'avaient rendu fou de désir. J'ai fini par me pencher pour lui présenter mon cul, offert, indécent, provocant.

— Regarde, je tire sur les élastiques de mon jackstrap pour libérer mes couilles. J'vais maintenant fouiller dans le sac qui cache le merveilleux et lourd trésor, pour te sortir la plus belle queue que t'auras jamais vue de ta vie, et surtout que tu vas voir pour la dernière fois. Allez, rince-toi l'œil, *stronzo* ! *Povero coglione* ! C'est des injures que t'as déjà dû entendre à Rome. Elles te conviennent tellement.

J'ai enlevé lentement mon jack et j'ai grimpé sur son lit, comme un gros félin prêt à lui arracher la tête. Non, plutôt comme Kate Bush sur la pochette d'un de ses premiers disques. Je me suis assis sur lui, face à lui, ma queue bandée comme jamais. On sentait que Bichette avait hâte de faire sa job. Elle était sur un pied de guerre, à douze pouces de sa face, et j'ai commencé à me masturber.

— Oh, je sens que je vais venir vite. J'peux pas faire autrement, j'vas venir vite, j'suis pas venu pendant un mois pour être sûr de te noyer avec mon sperme. Tant mieux pour toi, tu vas souffrir moins longtemps. Sais-tu ce qui me fait bander autant ? C'est le fait que j'ai le grand privilège de te faire payer pour tous les parents d'enfants abusés qui rêvent tous de te zigouiller. Ouais, c'est pour eux autres aussi que je fais ça, et pour être certain que tu recommenceras jamais.

Je me suis jeté sur lui, je lui ai ouvert la bouche de mes deux mains comme Daniel terrassant le lion, et j'y ai enfoncé mon sexe, le plus profondément possible. À peine arrivé au fond, je pouvais toucher ses cordes vocales, je me suis mis à éjaculer des litres de sperme. Mon révérend avait les yeux sortis des orbites. J'ai alors renfoncé encore plus ma belle Bichette d'amour pendant que je voyais ce cyclope étouffer, bleuir, se noyer, essayant de pousser des cris et n'arrivant qu'à produire des «gloup» qui se sont espacés. Une fois ma mission accomplie, j'ai levé mon poing vers le ciel, en criant, vainqueur:

— *Rosebud.*

Maudite culture, elle m'avait joué un tour. Je me suis repris avec encore plus de rage pour crier cette fois:

— *Deep throat.*